伍迪艾倫幽默故事集III

SIDE EFFECTS

副作用

伍迪艾倫——著

李伯宏——譯

目錄

庫格馬斯插曲

The Kugelmass Episode

紐約市立學院人文學教授庫格馬斯已是第二次結婚了，但仍不美滿。達芙妮．庫格馬斯是個蠢婦。他還與前妻芙蘿生了兩個傻兒子，贍養費和子女撫養費壓得他喘不過氣。

「我哪知道會變成如此窘境？」一天，庫格馬斯對他的精神分析醫生抱怨說。「達芙妮曾經前景看好。誰能料到她竟自暴自棄，發福成了一顆沙灘排球？此外她小有財富，這雖然不能算是結婚的正當理由，不過有像我這樣的本事，倒也無妨。你明白我的意思嗎？」

庫格馬斯禿頭，體毛茂密如熊，但雄心未已。

「我需要認識新的女人，」他接著說，「我需要外遇。也許我看上去不像那種人，但我需要浪漫，我需要溫柔，我需要調情。我不會再年輕了，所以趁著為時不晚，我想在威尼斯做愛，在『二一俱樂部』的紅酒及燭光下互傳秋波，講俏皮話。你知道我的意思了吧？」

曼德爾醫生在椅子上欠了欠身，說：「外遇解決不了問題。你太不現實了。你的問題深層得多。」

「而且這次外遇必須悄悄進行，」庫格馬斯繼續說，「我可擔負不起再次離婚。達芙妮肯定會把我整得很慘。」

「庫格馬斯先生——」

「但是不能找市立學院裡的人，因為達芙妮也在學院工作。倒不是學院教師中沒有像樣的對象，不過倒是有些學生……」

「庫格馬斯先生——」

「幫幫我。昨晚我做了個夢，我在大草坪上又蹦又跳，手裡提著野餐提籃，籃子上寫著『各式選擇』。然後我發現提籃有個破洞。」

「庫格馬斯先生，你最不該做的就是付諸行動。你必須在這裡把內心感覺表述出來，我們一起來分析。你接受治療已經很久了，應該知道沒有一次就見效的療法。我畢竟只是精神分析醫生，不是魔術師。」

「也許我需要的就是一名魔術師，」庫格馬斯從椅子上站起來，就這樣終止了心理治療。

幾週之後的某個晚上，當庫格馬斯和達芙妮像兩件舊家具般百無聊賴地待在公寓裡，電話響了。

「我來接，」庫格馬斯說，「喂。」

「庫格馬斯？」電話裡問，「庫格馬斯，我是帕斯基。」

「誰？」

「帕斯基。或是說，『偉大的帕斯基』，聽說過嗎？」

「什麼事？」

「我聽說你到處尋找魔術師，想給生活增添點刺激，是不是？」

「噓，」庫格馬斯壓低聲音，「別掛斷。你從哪裡打來的，帕斯基？」

第二天下午，庫格馬斯在布魯克林一棟破舊公寓爬了三層台階，從漆黑的走廊中眯眼搜尋到他要找的房間，按響門鈴。我會後悔的，他心想。

很快，一個面黃肌瘦的矮小男子開門迎來。

「你是『帕斯基大師』？」庫格馬斯問。

「是『偉大的帕斯基』。來杯茶嗎？」

「不了。我要浪漫。我要音樂。我要愛情和美人。」

「但是不要茶，呃？有意思。好吧，坐。」

帕斯基走進後面的房間。庫格馬斯聽到搬動盒子和家具的聲音。帕斯基出來時，推著一個裝有嘎吱作響的滾輪的大傢伙。他把罩在上面的舊絲綢布巾拿開，吹了吹上面的灰塵。原來是個外觀廉價、油漆斑剝的中式櫃櫥。

「帕斯基，」庫格馬斯說，「你在玩什麼騙人把戲？」

「注意了，」帕斯基說，「這可是件神奇的玩意兒。是去年我為皮提亞騎士團[1]聚會開發的，可惜沒人賞光。你進去吧。」

「為什麼？好讓你插進滿滿的刀劍之類的？」

「你看見刀劍了？」

庫格馬斯做了個鬼臉，邊嘟囔著鑽進櫃櫥。他無法避開不看那幾顆黏在合板上難看的假鑽石。「真是開玩笑，」他說。

「算是玩笑。好了，重點是這樣。當你待在櫥櫃裡，假如我把任何一本小說扔進裡面，關好門，敲三下，你就會發現自己進到那本書裡。」

庫格馬斯不大相信。

1 皮提亞騎士團（Knights of Pythias）：美國類似兄弟會的私人社團。

「這是真的，」帕斯基說，「上帝指引著我的手。不光是長篇小說，短篇小說、劇本、詩歌都行。你能見到任何由世界上最傑出的作家創造的女人。你夢想想著誰，就能見到誰。你可以一直逛下去，直到真命天女出現。等你滿足了就喊一聲，我馬上就把你弄回來。」

「帕斯基，你不是有病吧？」

「我說的句句屬實，」帕斯基說。庫格馬斯仍有些疑惑。「你是說——這個胡亂釘起來的破櫃子真能像你描述的那樣，帶我踏上旅程？」

「一次二十元。」

庫格馬斯手掏錢包。「我得親眼看見才信，」他說。

帕斯基把鈔票塞進口袋，轉身到書架前。「你想見到誰？嘉莉妹妹？海絲特・白蘭？奧菲莉亞？索爾・貝婁的人物？或是坦普・德瑞克？像你這把年紀要應付她可夠受的。」

「法國人。我想要個法國情人。」

「娜娜？」

「我不想為她花錢。」

「那就《戰爭與和平》裡的娜塔莎？」

「我說過要法國人。我知道了！愛瑪・包法利怎麼樣？我覺得完美極了。」

「沒問題，庫格馬斯。等你滿足了就喊一聲。」帕斯基把一本平裝的《包法利夫人》扔進櫃櫥。

帕斯基關門時，庫格馬斯還在問：「你肯定這沒危險？」

「安全。這瘋狂的世界裡有什麼東西是安全的嗎？」帕斯基在櫃櫥上敲了三下，然後打開門。

庫格馬斯不見了。同時，他出現在座落於永鎮、查理・包法利和愛瑪・包法利房子裡的臥室。一位美麗女子站他面前，背對著他整理床單。我簡直不敢相信，庫格馬斯心想，緊盯著令人銷魂的醫生之妻。太不可思議了。我在這裡，真的是她。

愛瑪轉過身，吃了一驚。「啊，你嚇我一跳，」她說，「你是誰？」她說著一口流利的平裝譯本英文。

太棒了！他想。接著才意識到她是在跟他講話，於是說：「抱歉，我叫悉尼．庫格馬斯，是市立學院的人文學教授。你知道紐約市立學院嗎？在上城。哦，天哪！」

愛瑪．包法利輕佻地笑說：「你想喝點什麼？也許來杯酒？」

她真漂亮，庫格馬斯想。與自己床上的那尊山頂洞人相比，真是天差地別啊。他恨不得把這個尤物擁進懷中，告訴她她正是他一生夢想的女人。

「好，來點酒，」他聲音沙啞地說，「白酒。不，紅酒。不，還是白酒。白的。」

「查理今天出去了，」愛瑪說，聲音充滿了有趣的暗示。

酒後，他們在美麗的法國鄉間散步。愛瑪拉住他的手說：「我一直夢想著一個神秘的陌生人出現，把我從這單調乏味的鄉下生活中拯救出去，」他們經過一座小教堂，「我喜歡你的穿著，」她輕聲說，「我在這裡從來沒見過。看起來多麼……多麼時髦。」

「這叫休閒服，」他語氣浪漫地說，「是打折品。」忽然，他吻了她。接下來的一個小時裡，他們坐在樹下悄聲傾訴，眉目傳情。隨後庫格馬斯站了起來。他突然想起他和達芙妮約在布魯明戴爾百貨公司見面。「我得走了，」他跟她說，「不過，別擔心，我會回來的。」

「希望如此。」愛瑪說。

他深情地擁抱她，兩人走回屋子。他雙手捧著愛瑪的臉龐，再次吻她，接著喊道：「好了，帕斯基！我得在三點半之前到布魯明戴爾。」只聽砰的一聲，庫格馬斯又回到了布魯克林。

「怎麼樣？我沒騙你吧？」帕斯基得意地問。

「帕斯基，我要到萊辛頓大道去等我家那顆排球，已經晚了。我什麼時候能再來？明天？」

「隨時歡迎。帶錢來就行。別告訴任何人。」

「是啊，我會告訴魯柏．梅鐸[2]。」

庫格馬斯叫了一輛計程車飛馳進城。他的心幸福地跳動。我戀愛了，他想。他心中藏著一個奇妙的秘密。可是他並不知道正在此時，全國各個學校教室裡的學生都在問老師：「第一百頁的這個傢伙是誰？一個禿頭猶太人在親吻包法利夫人？」南達科他州蘇瀑市的一位教師嘆了口氣，心想，老天，這些孩子們，抽菸吸毒，腦子裡究竟在想什麼！

庫格馬斯氣喘吁吁地趕到時，達芙妮．庫格馬斯正在百貨公司的衛浴用品部。「你上哪去了？」她厲聲問，「都四點半了。」

「路上塞車。」庫格馬斯說。

第二天，庫格馬斯來到帕斯基的住所，幾分鐘後又神奇地到了永鎮。愛瑪見到他時興奮之情溢於言表。兩人一邊談笑一邊講述各自的身世，歡度了好幾小時。庫格馬斯離開前，他們做愛了。「天哪，我在和愛瑪．包法利做愛！」庫格馬斯低聲自語。「我，大一英文被當掉的傢伙。」

接下來幾個月裡，庫格馬斯多次來找帕斯基，他與愛瑪．包法利的關係已變得如膠似漆。一天，庫格馬斯告訴魔術師，「你要確保每次都讓我出現在第一百二十頁之前。我要趕在她勾搭上那個魯道夫之前。」

「為什麼？」帕斯基問，「你爭不過他？」

「爭過他？他是有田產的士紳。這些傢伙別的不會，就會調情、騎馬。在我眼裡，他就是你會在《女裝日報》上看到的那種人。梳著赫爾

---

2 魯柏．梅鐸（Rupert Murdoch）：全球首屈一指的新聞媒體大亨。

穆特·貝加的髮型。可是在她眼裡，他可是魅力無窮。」

「她丈夫一點也沒懷疑？」

「他根本沒能力懷疑。他是個毫無生氣的小醫師，人生的所有樂趣早在小時候就耗光了。當他十點準備就寢，她才正要穿上舞鞋呢。好吧……晚點見。」

庫格馬斯又進了櫃櫥，馬上就到了永鎮的包法利莊園。「你好嗎，親愛的？」他對愛瑪說。

「噢，庫格馬斯，」愛瑪嘆口氣，「真受不了。昨天晚餐時，無趣先生在上甜點時睡著了。我正在傾吐對馬克西姆餐廳和芭蕾舞的熱愛，忽然就聽到了鼾聲。」

「沒關係，親愛的，我在這呢。」庫格馬斯說著，把她擁到懷裡。這是我長久努力的回報，他一邊想一邊聞著愛瑪的法國香水，把鼻子埋進她的頭髮。我受的苦夠多了，我付給精神分析醫生的錢也夠多了。我到處尋覓，直至筋疲力竭。她年輕，剛剛成年。我現在正好在利昂之後、魯道夫之前的頁數。只要出現在適當的章節，我就能無往不利。

可以肯定的是，愛瑪和庫格馬斯一樣高興。她渴望刺激已久，他講的百老匯夜生活、跑車、好萊塢還有電視明星，都令這位年輕的法國美人心馳神往。

一天晚上，愛瑪和庫格馬斯散步經過布爾尼西安神父的教堂時，她懇求說：「再給我講講O．J．辛普森的事。」

「怎麼說呢？這個人真了不起。他創下了所有跑陣紀錄，那躲閃跑位，誰也碰不到他。」

「還有奧斯卡獎呢？」愛瑪滿懷渴望地說，「我願意付出一切贏得一座獎盃。」

「首先妳要被提名。」

「我知道，你講過。可是我相信我會演戲。當然，我要上幾堂課。

也許是史特拉斯堡的課。然後要是找對了經紀人——」

「我們試試。我來和帕斯基商量。」

那天夜裡，庫格馬斯安然返回帕斯基的住所，提起邀愛瑪來大蘋果一遊的想法。

「讓我想一想，」帕斯基說，「我或許能辦到。比這更奇怪的事情都發生過呢。」當然，他們誰也想不出還有什麼更奇怪的事。

「這些天你到哪裡鬼混去了？」那天晚上，庫格馬斯很晚到家，達芙妮．庫格馬斯朝丈夫咆哮著，「是不是在什麼地方藏著個小三？」

「對，沒錯。我就是這種人，」庫格馬斯無精打采地答道，「我跟雷納德．波普金在一起。我們在談論波蘭的社會主義式農業。你也知道波普金，他對這個話題特別狂熱。」

「好吧，可是你最近非常怪，」達芙妮說，「感覺很疏遠。別忘了星期六是我父親的生日。」

「噢，當然，當然。」庫格馬斯說著，進入浴室。

「我們全家都會去。我們能看見那對雙胞胎。還有哈米許表哥。你對哈米許表哥應該更禮貌點，他喜歡你。」

「對，雙胞胎。」庫格馬斯說著，關上門將老婆的聲音隔絕在浴室外。他靠在門上深深吸口氣。他對自己說，再過幾小時就可以回到永鎮，回到心上人的身邊。這次如果一切順利，他要把愛瑪帶過來。

第二天，下午三點十五分，帕斯基又施展魔法。庫格馬斯出現在愛瑪面前，微笑而渴望。兩人與比內先生一起在鎮上消磨了幾小時時光，然後登上包法利的馬車。按照帕斯基的指令，兩人緊緊相擁，閉上眼從一數到十。當他們睜開眼睛，馬車正開抵廣場飯店的側門，庫格馬斯稍早已樂觀地訂了間套房。

「我太喜歡了！這一切都跟我想像的完全一樣，」愛瑪快樂地在臥室裡轉圈圈，從窗戶眺望街景。「那是史瓦茲玩具城，那是中央公園，然後哪個是荷蘭雪梨酒店？噢，看見了，太美了。」

床上擺著候司頓和聖羅蘭。愛瑪打開包裝，拎起一條黑色天鵝絨褲子在自己完美的身材上比試著。

「這套便裝是雷夫．羅倫的，」庫格馬斯說，「妳穿起來就像千金貴婦。來，親愛的，親一下。」

「我從來沒感到這麼幸福！」愛瑪站在鏡子前興奮尖叫，「我們出去逛街吧。我想去看《歌舞線上》、古根漢美術館，還有你總是掛在嘴邊的傑克．尼克遜。有他的電影上映嗎？」

「我想不通啊，」一位史丹佛大學的教授說，「先是冒出名叫庫格馬斯的奇怪人物，現在是她從書中消失。我想，經典小說的特徵就是即使你讀上千遍，也總是會發現新的東西吧。」

這對愛侶度過了一個欣喜萬分的週末。庫格馬斯告訴達芙妮他要去波士頓參加一場研討會，星期一回來。他和愛瑪盡情享受著每一刻，看電影、上唐人街的館子、在迪斯可舞廳跳兩小時舞、在床上看電視劇。他們一直睡到星期天中午，接著去了蘇活區，又到伊萊恩餐廳觀看名人。星期天晚上，他們在套房裡點了魚子醬及香檳，一直聊到黎明。早晨在前往帕斯基公寓的計程車上，庫格馬斯想，這真忙亂，但卻值得。我不能經常帶她來，不過偶一為之倒是能與永鎮生活相映成趣。

到了帕斯基的住處，愛瑪進入櫃櫥，把裝新衣服的盒子整齊地擺在身邊，深情地親吻庫格馬斯。「下次到我那去，」她眨了眨眼說。帕斯基在櫃櫥上輕叩三下。毫無動靜。

「嗯？」帕斯基搔著頭。他再敲三次，但仍無魔力。「一定是哪裡壞了，」他嘟囔著說。

「帕斯基，你別開玩笑！」庫格馬斯喊起來，「怎麼能壞了？」

「別慌，別慌。愛瑪，妳在櫃子裡嗎？」

「在。」

帕斯基又敲了敲，這一次敲得更用力。

「我還在這，帕斯基。」

「我知道，親愛的。坐好了。」

「帕斯基，我們必須送她回去，」庫格馬斯悄聲說，「我是有家室的人，三小時後還有課。我只想偶爾來次艷遇，別的不行。」

「我不明白，」帕斯基嘀咕著，「這個小魔法本來頗靈光呀。」但是他無能為力。「需要一些時間，」他跟庫格馬斯說，「我要把它拆了。晚點打電話給你。」

庫格馬斯把愛瑪打包塞進計程車回到廣場飯店。他差一點就誤了課。一整天都在打電話給帕斯基跟他的情人。魔術師告訴他可能要花幾天時間才能找出問題。

「研討會怎麼樣？」那天晚上達芙妮問道。

「挺好，挺好。」他說，把火點在香菸的濾嘴。

「怎麼回事？你怎麼這麼緊張？」

「我？哈，真好笑。我就像夏天的夜晚一樣平靜呢。我出去走走。」

他溜出門攔了輛計程車，直奔廣場飯店。

「這可不好，」愛瑪說，「查理會想我的。」

「親愛的，忍一忍。」庫格馬斯說。他臉色發白，渾身冒汗。他吻了她，衝進電梯，在飯店大廳的電話上朝帕斯基大喊大叫，午夜之前趕回了家。

「波普金說，自一九七一年以來，克拉科夫的大麥價格從沒這麼穩定過。」他對達芙妮說，有氣無力地笑笑，爬上床。

一個星期就這樣過去了。

星期五晚上，庫格馬斯告訴達芙妮，他又要參加一場研討會，這次是在雪城。他匆匆趕回飯店，然而第二個週末與第一個大不相同。「要麼把我送回書裡，要麼就跟我結婚，」愛瑪對庫格馬斯說，「我想找份工作或去上課，整天看電視太無聊了。」

「好啊。我們正好需要錢，」庫格馬斯說，「妳花在客房服務上的錢可是妳體重的兩倍。」

「昨天我在中央公園碰見一位外百老匯[3]的製作人，他說我可能適合他的一個演出。」愛瑪說。

「這個小丑是誰？」

「他不是小丑。他很細心、和善、風趣。他名叫傑夫什麼的，他正準備報名東尼獎呢。」

那天下午，庫格馬斯醉醺醺地來到帕斯基的住處。

「放輕鬆，」帕斯基告訴他，「你會得心臟病的。」

「放輕鬆。這傢伙要我放輕鬆。我在飯店藏了一個小說人物，而且我相信我老婆正雇了私家偵探跟蹤我。」

「好吧，好吧。我們都知道有了麻煩。」帕斯基爬到櫃子底下，拿一把大鉗子敲敲打打。

「我就像一頭野獸，」庫格馬斯接著說，「在城裡竄來竄去，愛瑪和我都快受不了了。更別提有如國防預算的飯店帳單。」

「我該怎麼辦？這是魔術世界，」帕斯基說，「微妙得很。」

「微妙個頭。我可是往這隻小老鼠嘴裡倒滿了頂級香檳和魚子醬，加上她的衣櫃，她社區劇場的註冊費和突然需要的專業照片。還有，教授比較文學、一向都嫉妒我的費維許．科普金，已經認出不時出現在那

3 外百老匯（Off Broadway）：指的是相較於百老匯音樂劇，規模較小的劇場演出。通常風格較為前衛自由，且不限於音樂劇。

本福樓拜小說中的人物就是我。他威脅說要告訴達芙妮。贍養費和監獄就在我眼前了。要是知道我跟包法利夫人通姦，我老婆會把我扒成乞丐。」

「你要我說什麼？我已經夜以繼日地趕工。至於你個人的焦慮，我幫不上忙。我是魔術師，不是精神分析師。」

到星期日中午，愛瑪把自己鎖進浴室，根本不聽庫格馬斯的懇求。庫格馬斯望出窗外盯著中央公園滑冰場，想到了自殺。可惜這層樓太低，他想，否則我現在就跳。也許我可以躲到歐洲去重新生活……我可以到街上賣《國際先驅論壇報》，像以前的小報童那樣。

電話響了。庫格馬斯機械地拿起聽筒。

「把她帶來吧，」帕斯基說，「我想我找出故障的地方了。」

庫格馬斯心頭噗通狂喜。「你說真的？」他說，「你修好了？」

「問題出在傳動器。你想像一下。」

「你是天才，帕斯基。我們一分鐘後到。不到一分鐘。」

這對情侶再次趕往帕斯基的住處，然後愛瑪帶著一個個盒子又一次鑽進櫃子。兩人這次沒有親吻。帕斯基關上門，深吸一口氣，敲了三下。發出了令人寬心的砰砰聲，帕斯基往裡一瞧，櫃子空了。包法利夫人回到了小說中。庫格馬斯長長吁了一口氣，握住魔術師的手。

「結束了，」他說，「我學到教訓，再也不出軌了，我發誓。」他再次握緊帕斯基的手，心裡想著要送他一條領帶。

三週之後，一個春光明媚的下午，帕斯基家的門鈴響了。帕斯基打開門，只見庫格馬斯一臉靦腆。

「好吧，庫格馬斯，」魔術師問道，「這次去哪裡？」

「就這一次，」庫格馬斯說，「天氣這麼好，我也不再年輕。聽我說，你讀過《波特諾伊的抱怨》嗎？記不記得『猴子』[4]？」

「現在收費要二十五元，因為生活費用上漲了。不過想到那次給你帶來的麻煩，這次免費。」

「你真是個好人，」庫格馬斯說，他梳了梳頭頭上最後幾根頭髮，攀進櫃櫥，「這玩意兒沒問題吧？」

「但願如此。自從上次之後我就不常使用了。」

「性愛與浪漫，」庫格馬斯在櫃子裡說，「為了一張漂亮臉蛋，我們歷經艱難。」

帕斯基把一本《波特諾伊的抱怨》扔進去，在櫃子上敲了三下。可是這次沒聽見砰砰聲，而是發出低沉的爆炸聲，接連劈啪作響，火花四濺。帕斯基向後一跳，心臟病發倒地死去。櫃子著火，最後把整棟樓房都燒垮了。

茫然不知這場大災難的庫格馬斯，自己也遇到了麻煩。他沒被送進《波特諾伊的抱怨》或是任何小說。他被弄進了一本舊課本《西班牙文補習教材》，正在貧瘠嶙峋的岩山上逃生。緊追在他身後的是一個伸著細長腿、長滿毛髮的巨型不規則動詞：tener（意思是「有」）。

4 猴子（The Monkey）是小說《波特諾伊的抱怨》（Portnoy's Complaint）中，與男主角展開各式性體驗的模特兒的綽號。

懷念尼德曼
Remembering Needleman

已經四個星期了，可是我還很難相信桑德爾．尼德曼死了。我出席他的火化，並應他兒子的要求帶了棉花糖，但是當時除了悲痛，我們很難想到其他的事。

尼德曼過世前總是惦記著自己的葬禮。有一次他告訴我：「與其土葬，我寧可選擇火葬；可是這兩樣都好過於跟尼德曼夫人一起度週末。」最後他選擇火葬，把自己的骨灰捐給海德堡大學。最後他們將骨灰撒了，並得到一筆骨灰罈的押金。

我還記得他的樣子，摺皺的西裝，灰色的圓領衫。他總是想著深沉的問題，所以穿外衣時常常忘記把衣架拿下來。在普林斯頓的畢業典禮上我提醒過他一次。他靜靜地笑了笑說：「很好，至少讓那些挑剔我的理論的人覺得我的肩膀很寬。」兩天後，他和史特拉汶斯基談話時突然翻了個後空翻，被送進了貝爾維尤醫院。

尼德曼這個人不大容易讓人理解。他的沉默寡言讓人誤以為是冷漠無情。其實他極富同情心。自從目睹一次可怕的礦災後，他就吃不下兩份鬆餅了。他不大講話，也令人敬而遠之。但是他覺得講話是種很不健全的交流方式，所以連最私密的事情，他也寧願用信號旗與人進行交流。

他與哥倫比亞大學校長德懷特・艾森豪發生爭執，被解除教職。當時他拿著一把地毯撣子，等這位著名將軍一出來就朝他打去，艾森豪扭頭便跑，躲進了一家玩具店。（兩人在大庭廣眾面前，為課堂鈴聲是表明下課還是提示上課爭得不可開交。）

尼德曼一直希望能安靜地死去。「就在我的書和文稿旁邊，像我哥哥約翰一樣。」（尼德曼哥哥在捲蓋式書桌下面找音韻字典時，因窒息而死。）

誰能想到午飯休息時，尼德曼去工地看拆樓房腦袋會被大鐵球砸中？這造成他嚴重休克，尼德曼停止呼吸時還笑盈盈的。他最後一句話如同謎語一般：「不了，謝謝，我已經有了一隻企鵝。」

尼德曼平常總是同時做幾件事，死時也是一樣。當時他正在創作一部關於倫理學的書，書中的理論基礎是：「公正的善行不僅更合乎道德，而且可通過電話來做到。」他的語義學新研究已經完成過半，他要證明（正如他拚命堅持的那樣），句子結構屬於先天性，抱怨牢騷則屬於後天性。最後，還有一本關於納粹大屠殺的著作。書中印有活動插圖。尼德曼一直苦苦思索邪惡這個問題，相當雄辯地闡述說，只是在作惡者名叫布萊基或皮特時，才出現真正的邪惡。他也曾對國家社會主義動過心，在學術界釀成一齣醜聞；不過儘管他上體操課、學跳舞，樣樣都試了，可是仍然連正步都走不好。

對他而言，納粹主義只是一種反對學院哲學的行為。他總想讓朋友們認同這一立場，然後扳過人家的臉假作興奮地說：「哈，抓住你了。」起初，對於他認同希特勒的立場批判起來並不難，不過必須考慮到他自己的哲學論述。他拒絕接受當代本體論，堅持認為人在無窮無盡之前便已存在，雖然人的選擇不多。他分清了小寫的存在和大寫的存在之間的區別，知道其中一個更可取，但從來就記不住是哪一個。尼德曼認為，人的自由包含對生活荒謬之處的認知。他喜歡說：「上帝無言，我們人類也該閉嘴。」

尼德曼推論說，真正的存在唯在週末才能實現，即使如此，也還需要借一輛汽車。尼德曼認為，人不是脫離自然的「事物」，而是被牽扯到「自然之中」。若不是先裝出淡然無關的樣子，再忙著跑到屋子的另一端，希望能瞥上自己一眼的話，就無法觀察自身的存在。

他把人的一生稱作是「焦慮的時間」。他講到，人是一種命定要在「時間」中存在的造物，即使「時間」中毫無實質內容也是如此。經過深思熟慮後，尼德曼健全的理智使其確信，他自己不存在，他的朋友不存在，唯一真實存在的，是他給銀行打的六百萬馬克的欠條。由此，他迷上了國家社會主義的權力哲學。他這樣說：「我的眼睛一看到褐衫就發亮。」後來尼德曼發現，國家社會主義正是他反對的那種威脅，他就逃離了柏林。他裝扮成一株灌木橫著移動，一次快走三步，就這樣人不知鬼不覺地越過了邊界。

在歐洲，尼德曼無論走到哪裡，學生和知識分子都仰慕他的大名，給予他熱切幫助。逃亡期間，他仍擠出時間出版了《時間、本質及現實：對虛無系統性的重估》，以及輕鬆愉快的專題論著《隱匿期間的最佳進餐地點》。哈伊姆．魏茨曼和馬丁．布伯募集捐款、徵集請願簽名，准許尼德曼移民美國，但當時他選擇的旅店客滿了。德國士兵離他在布拉格的藏身之地只幾分鐘之遙，尼德曼決定無論如何也要前往美國。等到了機場又出事了。他行李超重。阿爾伯特．愛因斯坦同乘一個航班，跟他解釋說，只要把鞋楦從鞋裡拿出來，所有行李就都能帶上了。此後兩人經常通信。愛因斯坦一次寫信說：「你的工作和我的工作非常相似，雖然我仍不確定你做何工作。」

到美國後，尼德曼一直處於公眾的爭議之中。他出版了著名的《非存在：若突然出現，該如何應對》，還出版了關於語言哲學的經典之作——《非本質功能的語義學模式》，這本書被拍成了一部電影，很是叫座，片名叫「夜間飛行」。

因為與共產黨的關係，他被迫從哈佛大學辭職，可算是個典型事例。他認為只有在經濟平等的制度下才會有真正的自由，螞蟻社會便是個範例。他可以幾小時不間斷地觀察螞蟻，還常沉思道：「螞蟻真是和諧。牠們的女人要是再漂亮點就更好了。」有意思的是，當眾議院非美委員會傳尼德曼作證時，他供出了人名，拿自己的哲學跟朋友們辯解說：「政治行動不涉及道德，而且不屬於真正的存在範疇之內。」這一次令學術界感到羞愧，直到幾個星期後，普林斯頓的教員們才決定嚴懲尼德曼。碰巧，尼德曼用同一個理論作為自己的自由愛情觀的依據。但是兩名女學生不買他的賬，十六歲的那位把他告發了。

尼德曼熱衷於制止核試驗，曾連同幾名學生一起飛往洛斯阿拉莫斯，到計畫進行核爆炸的場地拒絕離去。時間一分一秒地過去了，看來核試驗將如期進行。只聽尼德曼嘟囔一聲「哎喲」，就閃人了。報紙上沒有報導的是，他整天都沒吃飯。

追憶公眾眼裡的尼德曼並不很難。很傑出，很執著，又是《方式中的方法》一書的作者。但是我總喜歡回憶私下裡的尼德曼，頭上永遠戴著心愛帽子的桑德爾．尼德曼。他的的確確是戴著帽子火化的。我確信這是歷史首創。還有誠心喜愛迪士尼電影的尼德曼。儘管馬克思．普朗克把動畫片的原理給他講得清清楚楚，可還是無法勸阻他打電話給米妮。

尼德曼到我家做客時，我知道他喜歡特定牌子的鮪魚罐頭，便把這種罐頭存放在客人的廚房。他過於靦腆，不承認自己喜歡這種罐頭。但是一旦他覺得屋內無人時，就把每個罐頭都打開，沉思道：「你們都是我的孩子。」

尼德曼與我和我女兒在米蘭一起聽歌劇。他從包廂探出身掉進了樂池。他過於虛榮，不承認是自己失誤。結果連續一個月，他每晚都來聽歌劇，重新掉進樂池。很快的他就得了輕度腦震盪。我跟他說他的意思已經清楚了，別再往樂池裡掉了。他說：「不行。再來幾次。真的不太壞。」

我還記得尼德曼七十歲生日。他太太買睡衣給他，尼德曼顯然很失望，因為他暗示過想要輛新的賓士。不過他仍保持風度，回到書房自己生悶氣。後來，他又出現在眾人面前，滿臉笑容，並穿著睡衣參加了阿拉貝爾兩齣短劇的首演。

死刑犯

The Condemned

月光熒熒，布里索仰面睡著，肥大的肚子凸出來，嘴上顯露著愚蠢的笑容。他像是某種無生命的物件，如一顆大足球或是兩張戲票。少頃，他翻個身，月光好像換了個角度，將他照成了一套二十七件的銀質餐具，配有沙拉碗和大湯盤。

「他在做夢，」克洛凱手握著槍，站在床邊想，「他在做夢，而我存在於現實中。」克洛凱憎恨現實，可是又明白，只有在現實中才能吃到上好的牛排。此前，他從未了結過人命。他確實曾殺過一隻瘋狗，但也只是在精神分析醫生確診那是條瘋狗之後才幹的。（那條狗要咬掉克洛凱的鼻子，還大笑不止，所以被確診為狂躁憂鬱症。）

在夢裡，布里索正在陽光燦爛的海灘上，歡歡喜喜地朝母親伸開的雙臂跑過去。就在他準備擁抱她時，這位滿頭灰髮、滿臉淚水的婦人變成了兩勺香草冰淇淋。布里索呻吟了一聲。克洛凱把手槍又貼近些。他是從窗戶進來的，在布里索床邊站了兩個多小時，一直無法扣動扳機。他甚至扳起了槍的擊鐵，把槍口插進布里索的左耳。但門外出現響動，克洛凱跳到衣櫥後面，手槍就留在布里索的耳朵裡。

布里索太太穿著花浴衣進了屋，打開一盞小燈，看見手槍從他丈夫的腦袋裡伸出來。她像個慈母般輕嘆一聲，把槍取下來放在枕頭旁邊。她又把被子掀開的一角塞好，關上燈走了出去。

克洛凱已經昏了過去，一小時後醒來。醒來時他一度驚慌失措，以為自己回到童年，回到了蔚藍海岸；可是過了十五分鐘還是沒見遊客，他才清醒過來，明白自己仍在布里索家的衣櫥後面。他回到床邊，拾起手槍，再一次對準布里索的腦袋。但他還是無法開槍結束這個可恥的法西斯奸細的性命。

加斯東・布里索出身富有的右翼家庭，早年就決定做專業奸細。年輕時他上過講演課，為的是告密時口齒更清晰。一次他曾向克洛凱坦白：「天哪，我真喜歡在人背後搬弄是非。」

「為什麼？」克洛凱問。

「我不知道。讓人陷入麻煩、告密。」

克洛凱想，布里索就是為了告密而告密，出賣朋友。不可饒恕的罪惡！克洛凱曾認識一個阿爾及利亞人，此人喜好冷不防拍人的後腦勺，然後滿臉堆笑，不予承認。看起來，這個世界分成了好人和壞人。克洛凱想，好人睡得香甜，壞人則寧可醒著吃香喝辣。

克洛凱和布里索是多年前認識的，當時的情形很奇特。一天夜裡，布里索在雙叟咖啡館喝多了，踉踉蹌蹌地走向河邊。他以為自己回到了家中，就脫了衣服上床，結果掉進塞納河。他想蓋上被子，卻弄得滿身是水，就喊叫起來。克洛凱碰巧正在新橋上追趕自己的假髮，聽到冰冷的河裡傳來呼叫聲。那是個月黑風高之夜，克洛凱立刻就得決定是否要冒生命危險去救一個陌生人。克洛凱不願空著肚子做這麼重大的決定，便去了一家餐館吃飯。然後帶著懊悔，他買了些釣具返回河邊要把布里索釣出來。他先用假魚餌，可布里索聰明極了，就不咬鈎，最後，克洛凱不得不騙說要讓他免費學跳舞，才把他哄上岸，再用魚網罩住。人們在給布里索量身長、秤體重時，這兩人成了好友。

現在克洛凱又走近床邊，舉起手槍。在思量自己這一舉動的後果時，他感到一陣惡心。這是一種存在型的惡心，肇因是他強烈地意識到生命的短促，吃普通的胃舒平也不管用。他需要「存在型」胃舒平，塞納河左岸許多藥局都出售這類藥品。這藥片有汽車輪子蓋那麼大，放在水中溶化後，能夠消除因對生命過多的覺悟而引起的惡心感。克洛凱還發現，吃完墨西哥食物後，這藥也有用。

此時克洛凱想，我要是殺了布里索，我就把自己定位成了殺人者。我將成為殺過人的克洛凱，而不是我現在的身份：在巴黎大學教授家禽心理學的克洛凱。我選擇自己的行動，也就為全人類做了選擇。不過，若是世上所有人都像我這樣來到這裡把布里索殺了，又怎麼辦？真是煩人！這還不包括門鈴會整夜響個不停。當然，我們需要有專人代客停車。噢，天哪，想這些道德倫理的事情真費腦子！最好不去想太多。要多依靠身體，身體更值得信賴。參加會議的是身體，穿上休閒夾克還顯得好看，去按摩時它更是隨傳隨到。

克洛凱突然覺得，需要再次確認自己的存在。他朝布里索的衣櫥鏡子看去。（只要走過鏡子，他總要看上一眼。一次在健身俱樂部，他瞧游泳池裡自己的倒影瞧得太久了，游泳池的管理員不得不把池水放光。）沒用。他下不了手，扔下手槍跑了。

到了街上，他決定去穹頂餐廳喝杯白蘭地。他喜歡這家餐廳，因為裡面總是光線明亮，人潮湧動，一般還能有個座位，這可跟家裡大不相同。他家又黑又暗，媽媽和他住一起，從來不給他坐下。可是今晚餐廳裡坐滿了人。克洛凱尋思著這些臉哪來的？這些臉都模糊成一個抽象的概念：「大眾」。可是他想，根本沒有大眾，只有個體。克洛凱覺得這是個了不起的觀點，在時尚晚宴上可以借此炫耀一下。正因為他持有這類觀點，自一九三一年以來，就沒人請他參加過任何類型的社交聚會。

他決定去朱麗葉家。

「你把他幹掉了？」當他進屋時她問。

「幹掉了，」克洛凱說。

「你肯定他死了？」

「像是死了。我模仿了莫里斯．謝瓦利耶。通常都是滿堂喝采。但這次沒有。」

「好。他再也不能叛黨了。」

朱麗葉是個馬克思主義者，克洛凱提醒了自己一下。而且她是最有意思的那類馬克思主義者，有著曬成棕褐色的修長雙腿的那類。他認識的女孩中，很少有人能在腦子裡同時想到兩個截然不同的概念，比如黑格爾的辯證法，以及為什麼一個人講演時，你若把舌頭伸進他耳朵，他講得就有點像傑瑞．劉易斯了。朱麗葉就是其中之一。她身穿一件緊身上衣和一條裙子站在他面前，他想占有她，如同占有任何其他物品一樣，比方說收音機，或是德國占領期間為擾亂納粹戴的橡皮豬面具。

忽然，他和朱麗葉做了愛——或者僅僅是性交？他知道性與愛有區別，但也覺得哪一種都很好，除非其中一方碰巧戴著圍巾。他思忖著，女人是一種柔軟、纏繞的現實。存在也是一種柔軟、纏繞的現實。有時它會完全把你纏繞進去，你將永遠也出不出來，除了母親生日以及擔任陪審員等真正重要的事情例外。克洛凱經常想，「存在」與「存在於世間」區別很大，無論他屬於哪一類，另外一類肯定更好玩。

與往常一樣，做愛後他睡得香甜極了。但是第二天早上，他因暗殺加斯東・布里索被捕，令他吃驚。克洛凱在警察局裡極力表示自己清白無辜。但警察告訴他，布里索房間裡到處都是他的手印，在屋裡發現的手槍上也是他的手印。克洛凱還犯了一個錯誤：他闖進布里索家時在訪客登記簿上簽了名。沒有希望了。此案有頭有尾，十分明瞭。

隨後幾週進行審理像是一場馬戲團表演，雖然把大象帶進法庭不大容易。最後陪審團認定克洛凱有罪，判其上斷頭台。克洛凱的律師上訴請求寬大處理，但因被發現他提出上訴時戴著假鬍鬚，上訴被駁回。

六個星期之後，在行刑前一天，克洛凱獨自坐在牢房裡，仍不能相信過去幾個月發生的事情。尤其不相信大象進法庭那一段。第二天此時他將死去。克洛凱總以為死亡是別人的事。「我注意到，胖的人死的多，」他與自己的律師說。克洛凱自己則認為，死亡好像只是一種抽象概念。他想，人都會死，可是克洛凱也會死？這個問題讓他困惑。但是一個獄卒只在牢房裡畫了幾條簡單的線，就把一切弄清楚了。躲是躲不過去了。很快他就不再存在。

我將離開人世，他憂傷地想著，可是，臉長得像海鮮館菜單上某種食物的普洛特尼克太太卻依然在世。克洛凱慌了神。他想逃走，或者最好變成什麼經久牢固的東西，比如說一把大椅子。他想，椅子沒有煩惱，就放在那裡無人打擾。椅子不用付房租，也不用參與政治。椅子從來不會碰痛了腳趾，不會把耳罩放錯地方。椅子不必笑，不必去理髮。要是把它帶到聚會上，也不必擔心它突然咳嗽起來，當眾出醜。人們只是坐在椅子上，這些人死了，又有其他人坐上去。克洛凱的邏輯使他頗為寬心。凌晨獄卒來給他理髮，他裝作一把椅子。當問到他最後一餐吃什麼時，他說：「你在問家具吃什麼？為什麼不給我換個新坐墊？」在獄卒們的瞪視下，他服軟地說：「來點俄式沙拉醬就行。」

克洛凱一貫不信神，但是伯納德神父來到時，他問是否還可以皈依宗教。

伯納德神父搖了搖頭。「每年這個時候，主要宗教大都額滿了，」他說，「你這麼急，大概我能想到的最好辦法是介紹你信印度教。不過我需要一張護照用的標準照片。」

沒用了，克洛凱想。我只能獨自去面對自己的命運。世上沒有上帝，生活沒有目的。根本沒有永恆。當宇宙燃燒殆盡時，連偉大的莎士比亞的作品都將消失──當然，對於像《泰特斯·安特洛尼克斯》這樣的劇本，這個想法倒也不壞，那其他劇本呢？難怪有些人自殺了！為什麼不結束這種荒誕？為什麼還要演完這場稱作生活的空洞滑稽劇？為什麼？除了我們內心有個聲音在說：「活著。」我們總能聽到一個聲音在內心深處下令：「活下去！」克洛凱聽出來了，這是他保險公司推銷員的聲音。當然了，他想，菲什賓不想支付保險費。

克洛凱渴望自由，渴望出獄，到大草坪上跑跑跳跳。（克洛凱高興時，總喜歡跑跳。確實，這個習慣使他得以躲過兵役。）想到自由，他既激動又恐慌。他想，我要是真的自由了，就可以盡情做各式各樣的事情。或許我可以實現夙願，做一名腹語表演者。或是身穿三角褲、戴上假鼻子假眼鏡參觀羅浮宮。

在掂量這些選擇時，他有點暈眩，幾乎昏倒。正在此時，一個獄卒進了牢房，告訴他殺死布里索的真凶剛剛坦白。克洛凱自由了。克洛凱跪下來親吻牢房的地面。他唱起《馬賽曲》。他淚流滿面！他手舞足蹈！三天後他被押回監獄，因為他穿著三角褲，戴著假鼻子假眼鏡出現在羅浮宮。

命運多舛

By Destiny Denied

（一部八百頁長篇小說的手記——人們對此巨著正翹首以待）

背景——一八二三年，蘇格蘭：

某人因偷麵包皮被抓。「我就喜歡麵包皮，」他爭辯說。人們還認出就是他近來滋擾幾家小飯館，只偷烤牛肉的邊料。小偷所羅門・恩特威斯爾被帶到法庭。嚴厲的法官判處他五年至十年（哪個先執行都行）強制勞動。恩特威斯爾被投入地牢。為表明監獄制度比較開明，早期的做法是把牢房鑰匙扔掉。恩特威斯爾心灰意冷，但也堅定不移，他開始挖地道要逃出監獄。他小心翼翼地用飯勺挖通了牢房，又一勺一勺地從格拉斯哥挖到倫敦。這中間他曾在利物浦停下來，出來張望，結果發現自己更喜歡地道。到倫敦後，他躲在一艘開往新大陸的貨輪上，夢想著開始新的生活。這一次是做隻青蛙。

到了波士頓，恩特威斯爾遇見了瑪格麗特·菲格，一位新英格蘭教師。她眉目清秀，擅長烤麵包，烤好後放在自己頭上。恩特威斯爾動了心，娶了菲格。兩個人開了一家小店鋪，出售毛皮和鯨油，收購工藝品。店鋪迅速地大為成功，毫無意義的買賣越做越大。到一八五〇年，恩特威斯爾賺了錢，受了教育，得到尊重，並瞞著太太與一隻巨大的負鼠搞上了。他和瑪格麗特·菲格生有兩個兒子。一個很正常，一個頭腦簡單；平常很難區分，除非給他們每人一個溜溜球。他的小貨棧後來擴大為一間大型百貨公司。八十五歲時他患上天花，且頭上挨了根一斧頭，因此死去。死時他很幸福。

（備注：切記，要把恩特威斯爾寫得招人喜愛。）

地點與觀察，一九七六年：

沿著奧爾頓大道往東走，就會經過科斯特洛兄弟倉儲庫房、阿德爾曼修理行、肖內殯儀館和希格比撞球室。撞球室的老闆希格比是一個滿頭濃髮的粗短漢子。他九歲時從梯子上摔了下來，從此要提前兩天提示，他才能停止發笑。從撞球室朝北走，也即朝上城走（實際上，現在是在下城，真正的上城現在位於中城）有一個綠綠的小公園。人們在此散步聊天；這個地方沒有打劫和強姦，但常常碰見乞丐或是聲稱認識尤利烏斯．凱撒的人。目前，涼爽的秋風把夏季最後一批樹葉吹下來（本地人稱為「桑塔娜」，每年都在同一時候吹來，把大多數老年人的鞋子都吹掉了），堆成一堆。人們深深體會到一種漫無目的的存在感，尤其是在按摩店關門後。的確有一種形而上的「另類」感覺，卻又解釋不清，只能說這根本不像匹茲堡尋常發生的事情。這個城鎮本身是個暗喻，但是所喻為何？它不僅是個暗喻，也是個明喻。它是「此地」，是「此時」，也是「此時之後」。它是美國的典型城鎮，也是不存在的城鎮。這給郵差帶來不少麻煩。而且，大百貨公司是恩特威斯爾的。

布蘭琪（以表妹蒂娜為原型）：

布蘭琪・曼德爾斯塔姆胖胖的，甜甜的，眼鏡厚厚的，手指頭圓滾滾的，神經兮兮的。（她跟醫生說：「我想成為奧林匹克游泳選手，可我在水裡浮不起來。」）鐘錶一響，她就醒了。

幾年前，但不晚於更新世，人們還認為布蘭琪挺好看的。不過在她丈夫利昂眼裡，她是「除了歐內斯特・博格寧[5]之外，世界上最美的造物」。布蘭琪和利昂是很久以前在高中舞會上結識的。（她的舞跳得極好，雖然跳探戈時，她常常要查看隨身帶著的舞步圖。）他們相談甚歡，發現彼此有許多共同之處。比如兩人都喜歡睡在鹹肉乾上。布蘭琪對利昂的衣著印象很深，她從沒見過有人同時戴三頂帽子。這兩人結了婚，不久就有了第一次、也是唯一一次性經歷。布蘭琪回憶說：「那真是一次昇華，雖然我還記得利昂企圖割開手腕。」

布蘭琪告訴新婚丈夫，雖然他充當人體試驗品賺的錢勉強能夠維生，但她想留在恩特威斯爾百貨公司售鞋部工作。利昂自尊過強，不願靠人養活，勉強同意，但堅持說她到九十五歲時必須退休。現在兩人正進早餐。他的早餐是果汁、烤麵包和咖啡。她的早餐通常是一杯熱水、一個雞翅膀、甜辣肉和烤肉卷。吃完後，她就去恩特威斯爾百貨公司上班。

（備注：布蘭琪應該一邊走一邊唱歌，像表妹蒂娜那樣，不過並非

---

5 歐內斯特·博格寧（Ernest Borgnine，1917-2012）：美國演員，曾獲得奧斯卡最佳男主角獎。

總是唱日本國歌。)

卡門(精神病理學研究，根據觀察弗雷德‧希姆東、他哥哥李及他們家貓斯帕基的性情後得出的結論):

卡門‧平丘克，矮胖、禿頭，從熱騰騰的淋浴中走出，拿下浴帽。他所有頭髮都已經掉光，可是他不喜歡把頭頂弄濕。他跟朋友說:「為什麼要弄濕?那我的對手就會占我便宜。」有人表示這種態度有點奇怪，他只是大笑，然後親吻坐墊，同時兩眼在屋裡四處打量，看是否有人在看他。平丘克是個很容易緊張的人，業餘時間喜歡釣魚，但自一九二三年以來從未釣上一條魚。「我猜多半是沒魚，」他哈哈大笑著。但是當一個熟人指出，他把魚線扔進了一罐奶油裡時，他顯得不安起來。

平丘克幹過許多事情。高中時他因在課堂上呻吟被開除，此後做過牧羊人、心理治療師和默劇演員。現今，他在魚類及野生動物管理局上班，據說在教松鼠講西班牙語。喜歡他的人稱他是個「愚笨無用、獨來獨往、精神變態、滿臉紅潤的人」。一個鄰居說：「他喜歡坐在自己屋裡跟無線電聊天。」另一個鄰居說道：「有一次門羅夫人在冰上摔倒了。出於同情，他也在冰上摔倒了。」他承認自己在政治上是個獨立人士。上次總統選舉投票時，他在候選人名單上寫了凱撒・羅梅羅[6]。

現在，他戴上花格呢帽子，抱起一個牛皮紙包著的盒子走出寄宿所。一上街他就意識到，除了花格呢帽子他什麼也沒穿。他回去穿上衣服，出發前往恩特威斯爾百貨公司。

（備注：更詳細地描寫平丘克對帽子滿懷憎恨。）

見面（初稿）：

---

6 凱撒・羅梅羅（Cesar Romero，1907-1994）：美國喜劇演員。

百貨公司十點整開門，星期一一般不忙，但因為受輻射污染的鮪魚減價出售，顧客還是把地下室擠得水洩不通。卡門．平丘克把他的盒子遞給布蘭琪．曼德爾斯塔姆說：「我要退貨，太鞋小了。」這一下，售鞋部就如同被罩上防水油布那樣，立刻籠罩上世界末日的氣氛。

「你有收據嗎？」布蘭琪反問道。她盡量保持鎮靜，雖然後來她承認當時她快要崩潰了。（「出了事後，我就不能跟人打交道了。」她跟朋友們說。半年前在打網球時，她吞下了一顆網球。此後呼吸就一直不正常。）

「呃，沒有，」平丘克回答時有些緊張，「我弄丟了。」（他生活中最根本的問題是，他總把東西放錯地方。有一次他上床睡覺，醒來時床就不見了。）現在，排在他身後的顧客不耐煩了，他出了一身冷汗。

「你得找部門經理批准，」布蘭琪說。她要平丘克去找杜賓斯基先生。自萬聖節以來，她與杜賓斯基一直保持婚外情關係。（洛．杜賓斯基是個天才，畢業於歐洲最好的打字學校，但因為酗酒，他的打字速度降到每天一字，被迫改行到百貨公司工作。）

「鞋穿過嗎？」布蘭琪接著問，忍著不讓眼淚流下來。她不能想像平丘克穿著這雙鞋的樣子。「我父親從前穿這樣的鞋，」她說，「都穿在一隻腳上。」

平丘克開始繞圈子了。「沒穿過，」他說，「呃，我是說穿過。只穿了一會。只在洗澡時穿。」

「要是太小，你為什麼要買？」布蘭琪問，不知道她正闡明了一個典型的人類悖論。

事實上平丘克覺得鞋子不舒服，可是他從來不會對售貨員說個不字。「我想讓人喜歡我，」他向布蘭琪承認。「有一次就是因為不能說不，我買了一隻活羚羊。」（備注：克魯姆戈爾德寫過一篇傑出的文章，論述婆羅洲某些部落的語言中沒有「不」這個字；若拒絕什麼要求，就點頭說：「我待會找你。」這也印證了他早時的理論：為招人喜歡而不惜任何代價，這並非是從社會上學到的，而是遺傳的，如同能把一場歌劇從頭看到尾一樣。）

到十一點十分，部門經理杜賓斯基點頭同意，平丘克換了一雙大號的鞋。平丘克後來承認這件事以及他的鸚鵡結婚的消息，令他特別鬱悶和暈眩。

百貨公司的事情發生後不久，卡門．平丘克辭了職，到一家「松清粵菜館」當服務生。布蘭琪精神崩潰，企圖與迪齊．迪安[7]的照片一起私奔。（備注：經反覆思索，或許最好把杜賓斯基寫成一個木偶。）一月底，恩特威斯爾關門了，業主朱利．恩特威斯爾帶上他深深愛著的家人搬到了布朗克斯動物園。

（最後一句讀來十分了得，應保留不變。第一章備注完。）

UFO威脅
The UFO Menace

UFO（不明飛行物）在新聞報導中再度出現。此時也是該認真探討這一現象了。（實際上，此時是八點十分，不僅晚了幾分鐘，而且我也餓了。）直到如今，整個飛碟事件大都與怪人或是怪球有關。事實是，看到飛碟的人常常承認自己既是怪人，也是怪球。不過，負責可靠的人們也總是看到飛碟，致使空軍和科學界重新考慮先前持有的懷疑態度，現又撥出二百美元用於全面研究這個現象。問題是：天外有生命

7 迪齊．迪安（Dizzy Dean，1910-1974），美國職棒聖路易紅雀隊王牌投手。

嗎？如果有，他們有雷射槍嗎？

不一定所有UFO都來自外太空。不過專家們同意，任何每秒鐘垂直上升一萬兩千里、雪茄形狀、發光的飛行物，都需要用冥王星上才有的火星塞進行維修。如果這類物體的確來自其他星球，設計出這類物體的文明要麼比我們先進數百萬年，要麼就是他們特別走運。里昂．史貝西曼教授推測，外太空的文明進程比我們的快大約十五分鐘。他認為與我們相比，他們占有很大優勢，因為他們不必匆忙赴約。

布拉基希．孟西斯博士在威爾遜山天文台工作，或許是在威爾遜山精神醫院接受觀察（因字跡不清楚），他聲稱旅行者以接近光速旅行時，即使是從最近的星系出發，也需要好幾百萬年才能抵達地球；而且考慮到百老匯的演出水準，這趟旅行也不值得。（以超出光速的速度旅行實無可能，也不可取，因為帽子老會被吹跑。）

有趣的是，現代天文學家認為空間是有限的。這是一個讓人踏實的說法，尤其對於那些丟三落四的人而言。然而，思索宇宙需考慮入內的關鍵因素是它一直在膨脹，終有一日會分崩離析，消失無影。所以說，假如辦公室大廳的那個女孩有可取之處，但還沒全部達到你的要求，最好還是將就一點。

關於ＵＦＯ最常見的問題是：如果飛碟來自外太空，為何其駕駛員不和我們聯繫，而是神秘兮兮地在荒涼之地盤旋？我自己的理論是：對來自其他星系的造物而言，「盤旋」可能是能夠接受的社交方式，還可能是愉快的。我本人就曾圍著一位十八歲的女演員盤旋了半年，度過了最美妙的時光。應該提起的是，當談到其他星球上的「生命」時，我們常常是指胺基酸。它們從來不合群，甚至在聚會上也不合群。

多數人以為ＵＦＯ是現代才出現的問題。但是對這一現象，人類是否已經注意了數世紀之久？（對於我們，一個世紀相當長。你要是持有一張欠款條就更長。但依照天文標準，這只是一瞬間。因此最好一直帶著牙刷，準備隨時啟程。）學者們現在說，早在《聖經》的時代就有人看到過ＵＦＯ。比如《利未記》就講，「亞述軍隊上空出現一顆碩大銀球，巴比倫充斥著哀號詛咒，各位先知令眾生力行克制，穩定情緒。」

這一現象是否與巴門尼德多年之後的描述相關：「三個圓形物體突然在天上出現，在雅典中城上空旋轉，在浴池上方盤旋，迫使幾位最富智慧的哲人忙抓浴巾？」這些「圓形物體」是否又與近來發現的十二世紀撒克遜教會手稿中描述的物體一樣：「大船升空，一聲巨響咣噹，一團火球哐啷。感謝各位女士先生。」

中古時代的牧師認為最後一句意味著世界末日將臨，但到了星期一，每個人都失望地回去上班。

最後，最令人信服的是歌德本人在一八二二年記述的一次奇異的天文現象。他寫道：「從萊比錫焦慮節回家的路上，我正走過一片草坪，忽然，我抬頭望見幾個紅色的火球出現在南方天際。火球迅速下降追趕著我。我大喊『我是天才，所以跑不了多快』，但是我的話沒用。我生氣了，朝它們叫喊咒罵，把它們嚇得飛走了。我將此事講給貝多芬聽，卻沒意識到他已經失聰。他笑著點點頭說『對』。」

一般來講，到現場仔細調查會發現，大多數「不明」飛行物都是相當普通的現象，比如氣象氣球、流星、衛星，甚至還有個叫路易斯・曼德爾鮑姆的人，他把世界貿易中心的屋頂吹跑了。一九六一年六月五日，切斯特・雷姆斯巴頓爵士曾在施洛普郡遭遇了一次典型的「可解釋」事件：「凌晨兩點我正在路上，看見一個雪茄形狀的物體在跟蹤我的車。無論我開到哪裡，它都跟著我靈活地急轉彎。這個物體紅紅的，發著光，我開足馬力，左拐右拐，就是甩不掉它。我開始發慌，身上出汗，大叫一聲昏了過去。等我醒來時已經身在醫院，神奇的是我毫髮無傷。」經專家調查認定，「雪茄形狀的物體」是切斯特爵士的鼻子。自然，不管怎樣躲閃，他都甩不掉鼻子，因為鼻子長在他的臉上。

另一件可解釋事件發生在一九七二年四月底，是安德魯空軍基地的柯蒂斯．梅姆林少將報告的：「一天夜裡我走在田間，突然看見天空出現一個大銀碟。它飛到我頭上不足五十公尺高的地方，一再飛出任何正常的飛行器都無法完成的空氣動力學的花樣。它忽然加速，急速飛走。」

調查人員注意到梅姆林將軍講述時哧哧發笑，便心生疑竇。後來將軍承認，他當時剛在電影院看完《世界大戰》，「覺得非常刺激」。可笑的是，一九七六年梅姆林將軍報告又一次看到ＵＦＯ，但人們很快發現，他也被黏到切斯特．雷姆斯巴頓爵士的鼻子上了。此事令空軍憤憤不已，最終把梅姆林將軍送上了軍事法庭。

如果大多數ＵＦＯ都能解釋出原因，那少數不能解釋的又是怎麼回事？以下是「尚未探明」的幾例最神秘事件。第一例是在一九六九年五月由一個波士頓人報告的：「我和太太在海灘散步。她不是那麼好看，又相當肥胖，我實際上是用一輛手推車拉著她。突然，我抬起頭看到一個巨大的白色飛碟快速下降。我慌了，扔下手推車的繩子就跑。飛碟直接掠過我頭頂，我聽見一個機器人般的怪異聲音說：『去檢查你的電話留言。』等我回到家打開電話答錄機，聽到一條留言說我兄弟搬家了，他所有的信件都要轉寄到海王星。後來我再也沒見到他。因為這事我太太精神垮了，現在她非得借助布偶才能交談。」

一九七一年二月，喬治亞州阿森斯的阿克塞爾班克報告：「我是一名經驗豐富的飛行員，正駕駛我自己的賽斯納小型飛機，從新墨西哥州飛往德州的阿馬里洛，轟炸宗教信仰與我不同的人。途中我注意到一個物體在我近旁飛行。我一開始以為是另一架飛機，直到它發出綠光，迫使我的飛機在四秒鐘內下降一萬一千英尺，導致我的假髮飛離頭頂，把機艙頂部穿了個大洞。我通過無線電連續呼救，但不知為什麼，只能搜到老節目《安東尼先生》。不明飛行物再次接近我的飛機，然後一眨眼就飛走了。此時我已經失去方向，只好在高速公路上緊急降落。我駕駛飛機在路面上繼續前行，在經過收費站時機翼折斷，出了問題。」

一九七五年八月，長島蒙陶克角的一個人經歷了一件奇遇。「我在海邊的房子裡，躺在床上睡不著覺，因為我覺得冰箱裡的炸雞應該是我的。我等太太睡了，就躡手躡腳進了廚房。我記得看了一眼時間。正好是四點十五分。我很肯定，因為我家廚房的鐘停了二十一年一直是這個時間。我還注意到我們的狗猶大有點奇怪。牠雙腿站立，唱起《當個女孩真開心》。滿屋子忽然照進橘黃色的亮光。一開始我還以為是我太太發現我偷吃東西，把房子給燒了。我往窗戶外一看，大吃一驚，一個雪茄形狀的巨型飛機在院子裡的樹梢上盤旋，發出橘黃色的光。我怔住不動肯定有幾個小時之久，但因為我們的鐘仍然顯示著四點十五分，所以也說不準。最後飛機伸出一個大機器爪子，從我手裡抓走兩個雞塊，接著迅速縮了回去。然後那台機器開始上升，迅猛加速消失在夜空裡。我把事情報告給空軍，他們告訴我我看到的是一群鳥。我不信，但昆西・巴斯科姆上校親自向我保證，空軍一定把那兩塊雞還給我。到今天為止，我只收到一塊。」

最後是一九七七年一月路易斯安那州兩名工人的記述：「羅伊和我兩人正在泥塘釣鯰魚。我和羅伊一樣都喜歡泥塘。我們沒喝酒，光帶了一桶氯甲烷，我們都喜歡加點檸檬或是小洋蔥來調味。言歸正傳，大概是在半夜，我們抬頭看見一顆又亮又黃的大球降落到泥塘裡。起先羅伊以為是一隻北美鶴，開了一槍。我說：『羅伊，那不是北美鶴，牠沒有長喙。』要認出一隻鶴看的就是長喙。羅伊的兒子長了長喙，自以為是隻鶴。忽然間，門開了，出來幾個生物。這些生物像長著牙和短頭髮的小收音機。它們還長著腿，只不過輪子代替了腳趾。它們要我走上前。

我過去了，它們給我注射了一種液體，逗得我像小孩一樣發笑。它們相互說著聽不懂的話，聽上去像開車輾過一個胖子發出的聲音。它們把我帶進飛行器，給我做了一個類似全套的身體檢查。我兩年沒體檢了，也就隨它們便了。這時它們已經學會我的語言，但還是會犯下簡單的錯誤，比如他們想說『探索』，卻說成『攤手』。它們告訴我它們來自另一個星系，到這裡是要告訴地球我們必須學會和平相處，否則它們就帶特殊武器返回，把每一個頭胎男嬰都壓成薄片。它們說我的驗血結果幾天後出來。要是沒什麼問題，我就可以迎娶克萊兒了。」

辯護詞

My Apology

歷史上所有名人中，我最願意做蘇格拉底。倒不是因為他是個偉大的思想家，我自己也具有相當深刻的見解，雖然我的見解總是圍著瑞典空中小姐和手銬轉。不，這位最具智慧的希臘人最吸引我的地方是他面對死亡表現出的勇氣。他寧願放棄生命，也不放棄原則。面對死亡，我自己就沒有這種膽量，而且在聽到汽車回火等嚇人聲音時，我會直接跳進和我講話的人的懷裡。蘇格拉底勇敢地赴死，使其生命獲得了真正的意義。而我的存在完全缺少這種意義，儘管對國稅局而言，我還具有一點點意義。必須承認，我曾多次把自己設想成這位偉大的哲人，可是無論我想多少次，總不免睡去，夢見以下場景。

（場景是在我的牢房。通常我一人獨處，思考一些深刻的問題，比如：一個物件如可用來清掃爐灶，還能否稱為藝術品？當下，阿加頓和西米亞斯來探監。）

阿加頓：啊，好朋友，老賢哲。身陷囹圄，感受如何？

艾倫：身陷囹圄，又能如何，阿加頓？肉體可以受到摧殘，但精神卻衝出牢籠，自由飛翔；因此，我實為發問，囹圄是否存在？

阿加頓：你若想出去散步，該如何？

艾倫：問得好。我出不去。

（我們三人依古人的姿態坐在一起，如古建築簷壁上畫的那樣。最後，阿加頓開口說話。）

阿加頓：恐怕是個壞消息。你已被宣判死刑。

艾倫：哦，參議院為此發生辯論，我很傷心。

阿加頓：沒有辯論，是一致同意。

艾倫：真的？

阿加頓：第一輪投票就通過了。

艾倫：嗯。我曾指望多些支持。

西米亞斯：你主張建立烏托邦國家，參議院大為光火。

艾倫：我想，我本不該提議讓哲學家當國王。

西米亞斯：尤其是你還一邊清嗓子，一邊指著自己。

艾倫：不過，我並不把行刑人視作惡魔。

阿加頓：我也這麼想。

艾倫：呃，噢……難道惡不就是過分的善嗎？

阿加頓：何以如此？

艾倫：你這樣看。假如有人唱首好聽的歌，會很悅耳，如果他不停地唱，人們就頭痛了。

阿加頓：是這樣。

艾倫：如果他唱個沒完，你就想把襪子塞進他嘴裡。

阿加頓：是，確實如此。

艾倫：什麼時候行刑？

阿加頓：現在幾點？

艾倫：今天？

阿加頓：他們需要這間牢房。

艾倫：那就悉聽尊便吧！讓他們奪走我的生命。不過，要記下來，我到死也沒有拋棄真理和自由探索的原則，這一點將被載入史冊。不必哭，阿加頓。

阿加頓：我沒哭，我是過敏。

艾倫：對思想家而言，死不是終點，而是起點。

西米亞斯：何以見得？

艾倫：讓我想想。

西米亞斯：不著急。

艾倫：的確，西米亞斯，人在出生之前並不存在，對嗎？

西米亞斯：對。

艾倫：同樣，人在死後也不存在。

西米亞斯：是的，我同意。

艾倫：嗯。

西米亞斯：所以呢？

艾倫：等一等，我有點迷惑。你知道，他們只讓我吃羊肉，而且從來都沒煮好。

西米亞斯：大多數人把死看作是終點，所以對此感到害怕。

艾倫：死即是無，無即為不存在，因此，死亡並不存在。唯真理存在。真與美，各屬本體，也可相互交換。噢，他們說要怎樣處死我？

阿加頓：毒藥。

艾倫：（有些困惑）毒藥？

阿加頓：你記得那種把大理石桌面腐蝕掉的黑液體嗎？

艾倫：真的？

阿加頓：只一杯。但你要是潑掉的話，他們也備有大杯子。

艾倫：不知道會不會痛？

阿加頓：他們希望你不要鬧場。這會影響其他囚犯。

艾倫：嗯……

阿加頓：我跟每個人都說了，你將勇敢赴死，絕不放棄原則。

艾倫：對，對……呃，有人提到「流放」嗎？

阿加頓：去年就不再把人流放了。手續太繁瑣。

艾倫：對……是……（有些心神不定，但努力保持鎮定）我……那……還有什麼消息？

阿加頓：噢，我碰見了畢達哥拉斯[8]，他對一種新三角形有了不起的見解。

艾倫：對……對……（突然不再裝得大義凜然）好吧，我要跟你說清楚。我不想走！我還很年輕！

阿加頓：這可是你為真理獻身的機會！

艾倫：別誤解我。我一生追求真理。可是另一方面，下週我跟人約好在斯巴達吃午飯，我不想毀約。而且這次該我做東。你知道那些斯巴

8 原文為Isosceles（等腰三角形），應該是指幾何學家畢達哥拉斯（Pythagoras）。

達人，他們很容易動怒。

西米亞斯：我們最有智慧的哲人難道是個懦夫？

艾倫：我非懦夫，也非英雄，而是介於兩者之間。

西米亞斯：一隻小爬蟲。

艾倫：大致如此。

阿加頓：可是證明死亡並不存在的是你啊。

艾倫：嘿，你聽著，我證明了許多事情。我提出些理論和觀點，不時開點玩笑，偶爾講句格言，我靠這個付房租勝於採摘橄欖，不過我們不可得意忘形。

阿加頓：但是，你多次證明靈魂不朽。

艾倫：確是不朽！在紙上。明白嗎，這正是哲學的精髓所在——一旦走出課堂，並非一切都很實用。

西米亞斯：可是永恆的「形態」呢？你說過每件事物都曾存在，也將永遠存在。

艾倫：我說的主要是重的物件，像雕塑什麼的。說到人，則大為不同。

阿加頓：你還講過，死亡就如同睡眠。

艾倫：是這樣。但問題是你死後，當有人喊：「天亮了，起床啦，」你很難找到拖鞋。

（獄卒進來，帶著一碗毒藥。獄卒長得頗似愛爾蘭喜劇演員斯派克·米利甘。）

獄卒：好了，就在這。誰的毒藥？

阿加頓：（指著我）他的。

艾倫：這麼一大碗。冒泡是正常的嗎？

獄卒：沒錯。都喝下去，因為毒藥常常在碗底。

艾倫：（通常到此時，我的舉止與蘇格拉底截然不同。人們告訴我，我在睡夢中大喊大叫。）不喝，我不喝！我不想死！救命，救命哪！

（就在我令人討厭地大聲求救時，獄卒把熱騰騰的毒藥給了我，一切都完了。然而，出於某種與生俱來的生存本能，夢做到此，總是峰迴路轉，柳暗花明。來了一位信使。）

信使：且慢！參議院重新表決！控告取消。經過再度審理，決定授予你榮譽嘉獎。

艾倫：好不容易，好不容易，他們明白過來了！我自由了！自由了！更獲得嘉獎！阿加頓，西米亞斯，快點，把我的包拿來。我得走了，普拉克西特列斯想要早點開始雕塑我的半身像。不過臨走之前我來講個小寓言。

西米亞斯：哇賽，這可真是大逆轉。不知道他們是否清楚自己在幹什麼。

艾倫：一群人住在洞穴裡，不知道外面太陽高照。他們知道的唯一光亮，是幾根蠟燭發出的微弱火苗。

阿加頓：他們從哪裡得到的蠟燭？

艾倫：這個，就當他們本來就有蠟燭。

阿加頓：他們住在洞穴裡，點著蠟燭？聽起來不對勁。

艾倫：你就不能把它當作是真的嗎？

阿加頓：好吧，好吧。說你的寓言吧。

艾倫：一天，洞穴裡的一個人閒逛出來，看到外面的世界。

西米亞斯：光亮的世界。

艾倫：確確實實，光亮的世界。

阿加頓：他回去告訴其他人，可是沒人相信他。

艾倫：不是。他沒告訴其他人。

阿加頓：他沒有？

艾倫：沒有。他開了家肉鋪子，娶了個舞娘，四十四歲時，死於腦血栓。

（人們抓住我，硬把毒藥給我灌了下去。通常我在這個時候醒過來，滿身是汗，非吃幾顆雞蛋和一些燻魚，才能平靜下來。）

畢業典禮致辭
My Speech to the Graduates

人類在歷史上從未遇到像現在這樣的艱難抉擇。一條路通向絕望和無望，另一條路通往徹底毀滅。讓我們祈禱上天賜予我們智慧，能夠選擇正確道路。我毫無頹喪之意，在驚慌之中仍然堅信我們的存在絕對毫無意義。這很容易被誤解為悲觀主義。絕非如此。這只是對現代人所處困境的有益關注。（在此，現代人是指在尼采宣告「上帝死了」之後、在《我願握著你的手》[9]流行之前出生的人。）可用兩種方式表現這一

9　我願握著你的手（I Wanna Hold Your Hand）：披頭四的歌曲。

「困境」，雖然某些語言哲學家欲將其縮略為一個數學方程式，如此既容易解答，又方便裝進錢包。

簡而言之，這個問題是：鑑於我的腰圍和服裝尺碼，又怎能在有限的世界上找到意義？當我們認識到科學對此未能提供答案時，這便成為一個大難題。的確，科學征服了許多疾病，破譯了遺傳密碼，甚至把人類送上月球，然而卻解決不了以下問題：一位八十歲的老者與兩位十八歲的酒吧女侍同處一室時，竟毫無行為。這是因為真正的問題從來沒變。畢竟，人的靈魂能否放到顯微鏡下觀察？或許可行，不過你得需要非常高端的雙筒顯微鏡。我們知道，世界上最先進的計算機也不具備像螞蟻那樣複雜的大腦。沒錯，我們的許多親戚也是如此，好在我們只需在婚禮或在特殊場合才與他們寒暄一下。我們無時無刻不依賴科學。我若是胸口痛，就必須照X光。但是，假如X光的輻射給我造成更大問題怎麼辦？我還沒弄明白前，就已被推進手術台。在他們給我輸氧時，一個實習生點了一支菸，接著身穿睡衣的我就高速飛越世貿中心。這叫科學？的確，科學教我們如何將乳酪殺菌。的確，有異性在場時會很有意思。可是氫彈呢？一枚氫彈碰巧從桌上掉下來會是什麼後果？而且當人們思忖永恆的謎語時，科學又在何處？宇宙的起源如何？宇宙存在了多長時間？物質是從大爆炸開始，還是從上帝的神旨開始？假如是從上帝開始，難道他就不能提前兩星期，選個暖和的好天氣？當我們說人定有一死，其確切含意為何？顯然這並非恭維之詞。

不幸的是，宗教也令人失望。烏納穆諾曾輕快地書寫「永恆不變的意識」，但這並非易事。尤其是在讀薩克萊的時候。我常常想，早期的人類生活一定很舒適，因為人相信仁慈萬能、關照一切的造物主。當男人看到自己妻子體重增加時，設想一下他會多麼失望。當然，當代人的心緒無法平靜，他們正歷經信仰危機。這種現象被時髦地稱為「疏離」。他們見識到了戰爭帶來的災難，明白了自然災害的破壞力，也去過單身酒吧。我一位好友雅克・莫諾德常講到宇宙的偶然性。他相信一切的存在均屬偶然而生，唯有他的早餐除外。對於早餐，他確信是管家做的。誠然，相信神聖智慧能喚起平靜。但是這並沒有解除我們作為人的責任。我我豈是看守我兄弟的嗎[10]？是的。有意思的是，我和展望公園動物園同享這一殊榮。我們不信上帝，可我們的所作所為又把科技奉為上帝。但科技是導致我親愛的同事納特・齊普斯基，駕駛嶄新的別克車衝進炸雞店的窗戶，嚇得幾百名顧客四散逃命的肇因嗎？我買的烤麵包機四年來從未正常過。我按照說明把兩片麵包放進去，幾秒鐘後就跳了出來。有一次把我深愛的女人的鼻子弄斷了。我們能指望螺絲釘子和電力來解決問題嗎？沒錯，電話是個好東西，還有冰箱及空調；但不是每一台空調；也不是我姐姐亨妮的空調。她的空調噪音極大，卻不冷。修理工修理之後要麼更糟，要麼就是告訴她需要買台新的。當她抱怨時，他說不要打擾他。此人真的疏離了。他不僅疏離，還笑個不停。

糟糕的是，我們的領導人沒有讓我們為機械化社會做好充足的準備。很不幸，政客們要麼無能，要麼腐敗；有時既無能又腐敗。政府對小人物的要求充耳不聞。假如身高不足五尺七寸，國會議員根本不接你的電話。我並非否認民主仍是最好的施政形式。在民主社會，公民自由至少得到維護。不會肆意監禁拷打任何公民，也不會強迫全程觀看某場百老匯演出。然而，蘇聯的情況卻遠非如此。在極權制度下，有人僅僅因為吹口哨被判處三十年勞改。十五年後若舊習不改，就格殺勿論。與這種殘暴的法西斯主義相伴相隨的，是恐怖主義。歷史上人們從未像現在這樣恐慌，連牛排也不敢切，生怕爆炸。暴力助長更多的暴力。預計

10 我豈是看守我兄弟的嗎（Am I my brother's keeper）：此句為該隱殺了兄弟亞伯後，與耶和華的對話，見《創世記》。

到一九九〇年，綁架將成為主要的社交方式。人口過剩將更加劇，接近爆發點。一些數字表明，地球上的人口已經超出搬動最重的鋼琴所需的人數。若不呼籲遏止繁衍，到了二〇〇〇年，人們連進餐的地方都沒有了，除非把飯桌架在別人的頭上。吃飯時這些人將一小時不能動彈。能源短缺也是必然會發生的，每個車主分到的汽油只夠把車挪動幾寸。

面對這些挑戰，我們非但不去正視，反而沉溺於毒品和性事。我們生活在一個恣意放縱的社會。色情片從未像今天這麼猖獗，而且那些電影的燈光未免也太差勁！我們缺少既定的目標，我們從未學會關愛，我們缺乏領導者及協調一致的計畫，我們沒有精神支柱。我們在茫茫宇宙中獨自漂流，因挫敗和痛苦而暴力相向。幸運的是，我們尚未失去審時度勢的意識。總之，未來充滿機遇，也布滿陷阱。關鍵是避開陷阱，抓住機遇，在六點之前趕回家。

節食
The Diet

一天，F平白無故地破了自己的節食計畫。中午他與上司施納貝爾到一家咖啡館共進午餐，討論某些事情。到底是什麼「事情」，施納貝爾有些含糊。前天晚上，施納貝爾打電話給F，提議一起吃午飯。「有不少問題，」電話上他說，「需要解決的一些問題……當然，可以等一等。或許換個時間。」可是F心中焦急如焚，對施納貝爾此番邀請的意圖和語氣琢磨個不停，非要當即會面。

「我們今晚去吃午飯吧。」他說。

「現在都快午夜了。」施納貝爾說。

「這沒關係，」他說，「當然，我們得破門而入，闖進飯館。」

「別鬧了，這件事不急。」施納貝爾斥責他，掛了電話。

Ｆ呼吸沉重。我幹什麼了，他想。我在施納貝爾面前失態了。到了週一全公司都會知道。這是我這個月第二次這麼狼狽。

此前三週，人們發現Ｆ在複印室的行為活像隻啄木鳥。辦公室裡總是有人在他背後譏笑他。有時假如他急轉身，會發現離他幾寸之外的三四十名同事朝他吐舌頭。每天上班成了夢魘。還有，他的辦公桌在後面，遠離窗戶，新鮮的空氣抵達黑漆漆的辦公室時，早已被其他人先吸過後才輪到Ｆ吸。每天走在走道，一張張惡狠狠的臉從隔板後面探出來，審視著他。有一次一位小職員特勞布衝他禮貌地點點頭，當Ｆ點頭回應時，那人朝他猛擲一顆蘋果。之前，特勞布得到了本來要給Ｆ的升遷職務，還得到一把新椅子。可是Ｆ的椅子許多年前就被偷走了，因為沒完沒了的官僚圖章，他從來就沒申請到新椅子。因此，他每天都得站在辦公桌旁低頭打字，還知道別人在開他玩笑。事情一發生，F就要求一張新座椅。

「抱歉，」施納貝爾說，「這件事你要跟經理去說。」

「是啊，是啊，當然。」F表示同意。但是見經理的時刻一到，預約就被推遲了。「經理今天見不了你，」一名助理說，「他突然冒出來一些莫名其妙的想法，誰也不想見。」幾個星期過去了，F一再要求見經理，可是毫無結果。

「我只要一張椅子，」他跟父親說，「我倒也不太介意彎著腰工作，可是當我想放鬆一下把腳搭在桌子上時，就仰面摔倒了。」

「廢話，」他父親一點也不同情，「他們要是想著你，你早就有椅子了。」

「你不明白！」F叫了起來，「我想見經理，可他總是在忙。我偷偷朝他窗戶看時，他總在練習查爾斯頓舞。」

「經理永遠不會見你，」他父親說著，倒了一杯雪利酒，「他沒時間見那些無能鼠輩。實際上，我聽說里希特有兩把椅子。一把是坐的，一把是用來哼著小曲輕輕撫摸的。」

里希特！Ｆ想。那個昏庸的討厭鬼，與市長太太勾搭多年，這段關係一直持續到她本人發現為止！里希特曾在一家銀行工作。後來發現錢款不見了。人們先是指控他挪用款項，隨後才瞭解到他是在吃錢。「都是粗纖維，對嗎？」他天真無辜地問警察。他被銀行開除，來到Ｆ所在的公司。據說他法語說得很流利，是掌管巴黎賬戶的理想人選。五年後人們才知道原來他不會法語，只是噘起嘴唇模仿法語胡亂發出些音節而已。雖然被降了級，但他又設法贏得了上司的賞識。這一次他向老闆獻計說只要不再緊鎖前門，放顧客進來，公司的利潤就可翻一番。

「好傢伙，這個里希特，」Ｆ的父親說，「所以他在商業界總是走在前面。你呢，總像個令人惡心、拚命掙扎的小爬蟲，只配被捏死。」

Ｆ對父親的遠見奉承了幾句，但到了晚上，他無緣無故地感到壓抑。他決心節食讓自己看上去更好看。他倒也不是胖，而是鎮上流傳的一些微妙的影射使他確信，在一些圈子裡，人們可能視他為「粗壯有餘，前途有限」。Ｆ想，我父親說得對。我就像是令人生厭的爬蟲。難怪當我要施納貝爾給我加薪時，他拿殺蟲劑噴我！我是隻可憐巴巴的蟲子，人人討嫌。我只欠被踩死，讓野獸撕扯成片。我應該躲在床底的塵土裡，或是痛感恥辱，把自己眼睛挖出來。明天我一定開始節食。

當晚，Ｆ做了個愉快的夢。他看到夢中的自己身材苗條，穿上頗有聲望者才能穿的時髦新褲子。他夢見自己打網球，動作優雅，又在時尚聚集處和模特兒起舞。夢境最後，Ｆ趾高氣揚地慢慢走過股票交易所大廳，全身赤裸，在比才的《鬥牛士之歌》樂聲中說了句：「還不錯吧？」

第二天早上，他滿心歡喜地醒來，開始了幾個星期的節食，體重減了十六磅。他不僅感覺好了，運氣好像也轉變了。

「經理要見你。」一天，有人告訴他。

F高興極了，他被帶到大人物面前讓其評量。

「聽說你迷上了蛋白質。」經理說。

「只吃瘦肉，當然，還有沙拉，」F答道，「就是說，偶爾來塊麵包，但不抹奶油，並杜絕其他麵食。」

「了不起。」經理說。

「我不僅更有精神了，還大大減少了患心臟病或糖尿病的可能。」

「這我都知道。」經理不耐煩地說。

「或許我現在能處理某些事情了，」F說，「前提是如果我保持目前的體重的話。」

「再看看，再看看，」經理說，「咖啡呢？」他還是不大相信。「你喝咖啡放半脫脂牛奶嗎？」

「噢，不放，」F告訴經理，「我只放全脫脂牛奶。我向你保證，我現在所有的飯食都完全沒滋沒味。」

「好，好。我們再談。」

那天晚上，F解除了和施奈德女士的訂婚。他寫信給她解釋說，他的三酸甘油酯大幅降低，所以他們先前制訂的計畫已無法實現。他求她給予理解，並說若他的膽固醇上升到一百九十以上，就再找她。

然後就是與施納貝爾的午餐。F僅僅點了茅屋起司（cottage cheese）和一顆桃子。當F問施納貝爾為何叫他出來共進午餐時，這位長輩有些閃爍其辭。「只是要討論幾個選項。」他說。

「什麼選項？」F問。他想不出有什麼未完成的事項，除非他忘記了。

「噢，我不知道。現在都有點模糊了，我也忘了這頓午飯是為了什麼。」
「是啊，可是我覺得你瞞著什麼事情。」F說。
「胡說。來點甜點吧。」施納貝爾答道。
「不了，謝謝，施納貝爾先生。我正在節食。」
「你多長時間沒吃蛋奶糕或是巧克力奶油夾心鬆餅了？」
「噢，有幾個月了。」F說。
「你不會嘴饞嗎？」施納貝爾問。
「會。我當然喜歡飯後甜點，不過還是需要自律……你知道。」
「真的？」施納貝爾一邊問，一邊嘗了一口巧克力點心，好讓F感覺到這種享受。「真可惜你這麼死板。人生苦短。你何不嘗一點就好？」施納貝爾狡黠地笑著，把一塊點心放在叉子上，遞給F。
F覺得有點眩暈。「哎，」他說，「我想我可以明天繼續節食。」
「當然，當然，」施納貝爾說，「這太有道理了。」

F本可以拒絕的，但他放棄了。「服務生，」他聲音有點顫抖，「我也來個巧克力奶油夾心鬆餅。」

「好，好，」施納貝爾說，「這就對了！像個男子漢。過去你要是再靈活點，有些事情早就解決了。你明白我的意思吧。」

侍者端來了巧克力奶油夾心鬆餅放在F面前。F覺得他看見侍者朝施納貝爾眨了眨眼，可是又不太確定。他開始吃這道甜膩的巧克力奶油夾心鬆餅，每一口都那麼甘甜可口。

「不錯吧？」施納貝爾露出狡黠的假笑，「當然，都是卡路里。」

「是啊，」F嘀咕著，又搖頭又瞪眼，「都直接長到我腰上。」

「長到你腰上，是不是？」施納貝爾問。

F喘著粗氣。忽然，他渾身上下都是悔恨。老天，瞧我做了什麼！他想。我破了自己的節食計畫！我吃了甜食，完全明白這樣做的後果！明天我只好把西裝租出去了！

「先生，您不舒服嗎？」侍者問，和施納貝爾一起笑著。

「怎麼啦？」施納貝爾問，「看你的樣子好像犯了什麼罪。」

「拜託，現在我不想討論這個問題！我得透透氣！這次你來買單吧，下次我買。」

「沒問題，」施納貝爾說，「辦公室見。我聽說經理要見你，談一些投訴的事。」

「什麼？什麼投訴？」F問。

「噢，我不大知道。有一些傳言。也不太確定。有幾個問題上級要問清楚。當然你要是還餓的話，可以等一等，胖子。」

F迅速離開餐桌，穿過大街直奔回家。他見到父親，趴在地上哭了。「爸爸，我破了自己的節食計畫！」他哭著說，「我一時軟弱點了甜食。請原諒我！請你發發慈悲！」

他父親平靜地聽著，說：「我命你去死。」

「我知道你會理解的。」F說。說完，兩人擁抱，再次下定決心，要拿出更多的空閒時間與他人健身。

狂人故事

The Lunatic's Tale

瘋狂是一種相對的狀態。誰能說我們之中誰才是真正的狂人？我身穿破爛的衣服，戴著外科醫生的大口罩，高呼革命口號，歇斯底里地大笑。即便此時，我也不清楚自己的所作所為是否真屬癲狂。親愛的讀者，我以前可不是人們俗稱的「紐約街頭浪蕩子」，停在垃圾桶前將繩頭瓶蓋往我的塑料袋塞。不。我曾經是個功成名就的醫生，家住上東區，身著拉爾夫·勞倫的各款時尚花呢服裝，開著褐色的賓士在城裡兜風。我，奧斯普·帕基斯醫生，曾是戲劇首演、Sardi's餐館、林肯中心和漢普頓海灘的常客，談吐機智，反手凌厲。可是現在，有時卻背著旅行包，頭戴風車帽，滿臉鬍渣，腳穿滑輪穿行在百老滙大道上。

促成這一災難性轉變的原因很簡單。我曾經和一個我非常愛的女人住在一起，她生性開朗，頭腦聰慧，文化修養高，幽默感豐富，和她在一起真是開心。但是（為此我詛咒命運）在性事上她卻激不起我的興致。於是，我在夜裡偷偷穿過市區去和一個叫蒂芬妮·施密德爾的攝影模特兒相會。這位模特兒的智力令人膽寒，但與此相反，她身上每個寒毛孔都散發出熱火般的浪蕩。親愛的讀者，你肯定聽說過「欲壑難填」這個說法。這麼說吧，蒂芬妮不僅僅欲壑難填，而且連騰出五分鐘喝杯咖啡都不行。肌膚好似綢緞，或者應該說好像最嫩滑的魚片，濃密粗獷的褐色頭髮，又細又長的雙腿，凹凸有致的曲線，手滑過任何一個部位，都如同雲霄飛車般上下起伏。這並不是說，與我同房的奧利芙·喬姆斯基雖然有思想、有才氣，但相貌不佳。絕非如此。事實上，她體態端莊，具有一位才華橫溢的文化高手的一切秉性。或許是因為當光線從某個角度照到奧利芙時，不知怎麼，她看著有點像麗芙卡阿姨。倒不是她真的長得像我母親的姐姐。（麗芙卡長得像猶太人民間傳說中有生命的泥人。）只是眼睛周圍有點說不清的相似，也只是在陰影恰好落在某處時才如此。或許是因為這種亂倫禁忌的約束；又或者，是因為像蒂芬妮·施密德爾這樣的面孔和身材幾百萬年才顯現一次，預示冰河時期的到來或世界毀於大火。總之問題的核心是：我需要兩個女人各自最突出的一面。

我先遇到的是奧利芙，與她的相識是在一連串無止境的交往之後，每一段關係都免不了留下某些缺憾。我的第一任太太十分傑出，可是卻不懂幽默。馬克斯兄弟幾人中，她非說澤波最有意思。我第二任太太漂亮，可是缺乏激情。記得有一次當我們正在做愛，出現了一個奇怪的景象，不知道是不是錯覺，剎那間她好像在旁邊走動。我和莎倫·普夫盧格共同生活了三個月，她火氣太大。惠特妮・魏斯格拉斯又太隨和。離過婚的皮帕・蒙代爾很快活，卻犯下大錯，替勞萊和哈台造型的蠟燭說好話。

朋友們出於好意為我當了無數次紅娘，可是女方清一色出自洛夫克拉夫特[11]的筆下。絕望之餘，我回應了《紐約書評》中的徵婚啟事，也同樣無果，啟事中的「三十來歲女詩人」其實是六十多歲；「欣賞巴哈和貝武夫的女大學生」看上去好像格倫德爾[12]；還有「灣區女士，男女均可」的那位告訴我，我不符合她對任何性別的要求。不過，並不排除會時不時蹦出一位大美人，性感，睿智，精幹，令人心醉。但是，依照《舊約》或是古埃及《亡靈書》中亙古已有的法則，她會把我否決。於是我成了世上最悲慘的男人。表面上看來我生活優越，應有盡有；可是內心深處卻拚命尋找美滿的愛情。

夜間的孤獨感令我思考完美的美學標準。除卻我叔叔的愚蠢，大自然還有什麼真正「完美」的事物？我要求完美，而我又有何資格？我身上的缺點數不勝數。我把自己的缺點逐一列了下來，可是列出第一項「有時忘戴帽子」之後，就再也想不出了。

我認識的人當中誰擁有「富有意義的關係」？我父母共同生活了四十年，卻互相怨恨。醫院裡另一位醫生格林格拉斯娶了一位頗似菲達乳酪的女子，只因為她「心地善良」。艾麗斯．默爾曼在背後與周邊任何登記投票的男人亂搞。哪有什麼人的家庭關係可以真正稱得上幸福。不久，我開始做噩夢。

我夢見自己進了一家單身酒吧，遭到一幫到處遊蕩的秘書的攻擊，她們揮著刀強迫我讚美昆斯區。我找到精神分析醫生，他建議我退讓

---

11 洛夫克拉夫特（H.P. Lovecraft，1890—1937）：美國恐怖、科幻與奇幻小說家。

12 格倫德爾 Grendel，《貝武夫》中的巨妖形象。

一步。我找到拉比，他說：「成家，成家。像布利茨斯坦夫人的女子如何？她可能不算是美人，可是誰也不如她，她能把食品和火器偷偷從貧民區運進運出。」我遇見一位女演員，她向我透露她真正的志向是到咖啡館當招待。看起來她挺有前途，可是一次在飯桌上，吃飯時間不長，無論我說什麼，她的回答都千篇一律：「咋地。」一天，醫院裡特別忙，晚上我想放鬆一下，就一人去聽史特拉汶斯基音樂會。中場休息時，結識了奧利芙．喬姆斯基，從此我的生活出現了變化。

奧利芙．喬姆斯基有學識，好譏諷，談話中常引用艾略特，打網球，彈巴哈的《二部創意曲》。她從不說「噢，哇」，從不穿標著「璞琪」和「古馳」商標的服裝，從不聽鄉村音樂或閒聊電台。碰巧，還總是不假思索地做些難以言傳的事情，甚至主動去做。跟她在一起的幾個月是何等快活，直到有一天，我的性欲（我想，被列在《金氏世界紀錄》）消退。音樂會、電影院、晚餐、週末、無止境地討論從連環漫畫到《梨俱吠陀》經文的一切話題，她說的話從未出過岔，全是真知灼見，全是才智！當然，還有對一切值得抨擊的對象進行恰如其分的抨擊：政客、電視、整容、平價住宅的建築風格、穿休閒服裝的男子、電影課程，還有一開口就是「基本上」的人們。

啊，詛咒那天，一縷游離的光線隨意勾勒出她臉上不可言喻的線條，讓我想起姨媽的面孔。也詛咒那天在蘇活區的晚會上，一個未必真叫蒂芬妮．施密德爾的風情坯子，整了整彩格呢羊毛襪，模仿動畫片中一隻老鼠的聲音對我說：「你是什麼星座？」我臉上的寒毛啪啪地豎立起來，如同傳說中的人變成狼；我只得和她隨意談起占星術，這個話題就像修飾詞、腦波以及小精靈尋找黃金之類的深刻問題一樣，撩起了我的學術興致。

幾個小時後，我發現自己全身快要融化了，當三角褲靜悄悄地從她腿上滑落到地上時，我竟唱起荷蘭國歌。我們就此按照空中雜耍的方式行雲雨之歡。於是，就這樣開始了。

我一邊尋找托辭瞞過奧利芙，一邊繼續和蒂芬妮幽會。我把藉口給了我愛的女人，把情欲傾注在別處。實際上，是傾注到一個小傻瓜身上，可是她的親撫和扭動令我飄飄欲仙，如上雲霄。我放棄了對鍾愛的女人的責任，沉湎於肉欲之中，與《藍天使》中的埃米爾·揚寧斯的經歷毫無兩樣。一次，蒂芬妮非要我過去陪她一起看《這是你的生活》，「因為這期嘉賓是強尼·凱許」；我佯裝不舒服，讓奧利芙和她媽媽去聽勃拉姆斯交響樂，我自己則去滿足性欲女神蠢笨、怪異的要求。等我陪她看完，她把燈關了，用行動獎賞我。還有一次，我裝作不經意地對奧利芙說要出去買份報紙。一出門，我就飛奔到七個街區外蒂芬妮的住所，衝上了電梯。沒想到可惡的電梯卡住了。我像隻被囚禁的美洲獅，在樓層之間的電梯裡踱來踱去，既不能平息欲火，也不能按時回家。最後消防隊把我救了出來，我腦子裡飛快地編著故事，好講給奧利芙聽。故事中有我，有兩個搶劫犯，還有尼斯湖水怪。

好在我運氣不錯，回家時奧利芙已經睡了。她天性純真，無法想像我會另搞女人。我們之間肌膚相親的頻率下降了，可是我還能養精蓄銳，至少部分滿足她的要求。因為常常深感內疚，我就編造加班疲勞等站不住腳的藉口，而奧利芙又總是以天使般的純真聽信了。說實話，隨著時間的推移，這件事變得愈發折磨人，我越來越像愛德華．孟克的《吶喊》中的人物了。

親愛的讀者，可憐我吧！這樣的窘境令人進退兩難，逼得人發瘋，指不定我們許多同時代的人都深陷其中。永遠不要在一位異性身上尋找你需要的所有長處。一面是妥協退讓的萬丈深淵，一面是耗人心力、應受譴責的艷遇。法國人做得對嗎？訣竅是否是娶一個太太，找一個情婦，兩者各司其職，滿足不同的需求？我知道要是向奧利芙坦白這樣的安排，我準會被她的英式雨傘刺穿。我開始心神不定，感到壓抑，我想到了自殺。我舉起手槍，對準腦袋，但到最後一刻失去了膽量，朝天花板開了槍。子彈穿過屋頂，嚇得樓上的菲特爾森夫人跳上了書架，整個假期都沒下來。

忽然有一晚，一切豁然開朗。我該做什麼突然變得一目瞭然，如同吃了迷幻藥物一樣的明朗。我帶奧利芙到藝術電影院去看貝拉·盧戈西的一部舊片。影片中有一關鍵場景，一個叫盧戈西的瘋狂科學家，在雷鳴電閃中為綁在手術台上的一個倒楣鬼和一隻大猩猩做手術，把兩者的大腦對調了。如果劇作家能虛構出這樣的情節，像我這樣醫術高超的外科醫生，在實際生活中肯定也能照搬無誤。

好了，親愛的讀者，我不會拿那些外行人難以理解的技術細節困擾各位。這麼說吧，在一個風雨交加之夜，一個黑影偷偷把兩個被迷藥弄昏的女人（其中一個的身材足以迷得駕車人把車開上人行道）運進第五大道醫院裡一間無人使用的手術室。在閃電撕破夜空的當口，他施行了先前只在銀幕上出現、由一位匈牙利演員操刀、將其變成一種藝術的手術。

結果如何？蒂芬妮．施密德爾的大腦現在在奧利芙．喬姆斯基平庸的身體裡，她擺脫了性寶貝的禁錮，變得歡欣愉快。正如達爾文教導的那樣，她的智力飛快地增長，雖然未必比得上漢娜．鄂蘭，但足以使她認識到占星術的荒唐，並結下美滿的姻緣。奧利芙．喬姆斯基突然擁有了傲視寰宇的體型，再配上她本有的優越天賦，嫁作我太太，我也成了眾人羨慕的人。

美中不足的是，我和奧利芙一起度過《一千零一夜》故事般歡愉的幾個月後，不知為何，我厭倦了這個夢中的女人，迷上了比利．瓊．扎普魯德。她是一個空姐，男性化的扁平身材和阿拉巴馬口音令我心跳不已。也就是在這時，我辭去了醫院的工作，戴上風箏帽，背上旅行包，腳踩滑輪，穿行在百老匯大道上。

憶舊地，懷故人

Reminiscences: Places and People

布魯克林：綠樹成蔭的街道。布魯克林大橋。到處都是教堂和墓地。還有糖果店。一個小男孩幫助一位長鬍鬚的老者過馬路，說：「安息日好。」老者笑了笑，把煙斗裡的煙灰都磕到了小孩的頭上。孩子一路哭著跑回家……熱浪籠罩著布魯克林。晚飯後，居民們紛紛拿出折疊椅，到街上避暑聊天。突然間，下起雪來。人們迷惑不已。一個小販沿街售賣熱椒鹽脆餅。一群狗把他攆上了樹。真不幸，樹上的狗更多。

「班尼！班尼！」一位母親在喊兒子。班尼十六歲的時候已經有了案底。二十六歲時，他將坐上電椅。三十六歲時，他將走上絞刑架。五十歲時，他將擁有自己的乾洗店。此時，他媽媽給他端來了早餐。因為家境貧窮，買不起新鮮麵包，只好把果醬抹在報紙上。

艾貝茨棒球場：球迷們站在貝德福德大道上，希望能接到全壘打時飛越右外野圍牆的球。八局過去，比分仍是零比零，人群忽然一陣喧嘩。一顆球飛出牆外，興奮的球迷們上前爭搶。不知怎麼，飛來的是顆橄欖球，誰也不明就裡。那個賽季後期，布魯克林道奇隊老闆將把隊裡的游擊手賣給匹茲堡隊，換回一名左邊外野手；然後，他將把自己賣給波士頓隊，換回勇士隊的老闆和他兩個最小的孩子。

羊頭灣：一個臉上飽經風霜的男子爽朗地大笑，拋出捕螃蟹網。一隻碩大的螃蟹用蟹鉗抓住他的鼻子，他不再笑了。他的朋友們從一邊拉他，螃蟹的朋友們從另一邊拉，都沒有用。太陽西下，兩邊仍拉扯不休。

紐奧良：雨中墓地，一支爵士樂隊在吹奏哀傷的曲子，屍體正在入土。然後，樂隊吹起歡快的進行曲，返回城裡。路走了一半時，有人發現他們埋錯了人。而且錯得最離譜的是，他們埋的人根本沒死，甚至也沒生病。實際上當時他正在唱歌。一行人回到墓地，挖出那個可憐人，並保證會承擔衣服的清洗費，可他還是威脅要將他們告上法庭。與此同時，誰也不知到底是誰死了。樂隊繼續演奏，同時把看熱鬧的人輪流埋進墓穴，因為他們堅持一個理論——真正的死者最容易葬下去。結果很快就清楚了，誰也沒死。可是天色已晚，很難弄到一具屍體，因為正值假日的高峰期。

此時正是狂歡節。滿眼都是克里奧爾人的食品。街上擠滿了穿著奇裝異服的人們。一個穿成蝦子模樣的人被扔進了冒熱氣的大鍋裡。他大聲抗議，可是沒人相信他不是一隻硬殼大蝦。最後，他拿出駕照，才被放行。

博勒加德廣場上人山人海。瑪麗．拉沃曾在此表演過巫術。一個海地老「魔術師」在出售洋娃娃和護身符。警察要他挪開，他和警察吵了起來。吵完之後警察的身高只剩下四寸。警察大怒，仍要逮捕此人，可他的聲調太高了沒人能聽得懂。此時一隻貓穿過街道，警察被迫逃命。

巴黎：濕漉漉的人行道。到處燈火通明。在一間路邊咖啡館，我碰見了安德烈．馬爾羅。奇怪的是，他以為我是安德烈．馬爾羅。我解釋說，他是馬爾羅，我只是個學生。聽罷，他放下了心，因為他很喜歡馬爾羅夫人，想到她是我夫人就受不了。我們談著嚴肅的事情。他告訴我人可以自由選擇自己的命運，只有真正認識到死亡是生命的一部分，才能真正理解存在的意義。接著，他要賣給我一條兔子腿。多年之後，我們在一次晚宴上再度相遇。他又非說我是馬爾羅。這一次我順著他，把他的水果沙拉吃了。

秋天。巴黎因再度發生罷工而癱瘓。這次是雜技演員罷工。翻筋斗的不見了，城市陷於停頓。不久先是雜耍演員，接著默劇演員也加入了罷工行列。巴黎人視其為日常服務，許多學生開始訴諸暴力。人們抓住兩名練倒立的阿爾及利亞人，把他們的頭髮剃光了。

一名十歲、有著長長的褐色捲髮和綠色眼睛的小女孩，把一枚塑料炸彈藏在內務部長的巧克力慕斯裡。部長只吃了一口，就飛出了富凱酒店的屋頂，毫髮無損地落到巴黎大堂上。現在，巴黎大堂已經不存在了。

駕車穿越墨西哥：遍地赤貧。一簇簇闊邊草帽讓人想起奧羅斯科的壁畫。陰影下的氣溫已達到華氏一百多度。一個印第安窮人賣給我一個豬肉餡玉米捲餅。捲餅很可口，我邊吃邊喝了些冰水。我覺得有點反胃，接著我說起了荷蘭語。腹部猛然隱隱作痛，我就如同一本書，啪的一聲合上了。六個月後我在一所墨西哥醫院醒來，頭頂完全禿了，緊抱著一面耶魯的錦旗。這是一段可怕的經歷，人們告訴我，在我燒得胡言亂語、接近死亡大門時，我從香港定做了兩套西裝。

我在一間病房裡養病，房間裡住滿了善良的農民，有幾個後來成了我的好友。其中一個是阿方索，他母親要他做鬥牛士。一頭牛用牛角把他撞傷了，後來他媽媽又把他撞傷了。再就是胡安，一個簡樸的養豬農民。他不會寫自己的名字，卻從國際電話和電報公司這家大財團騙取了六百萬美元。還有老赫南德斯，他曾和薩帕塔並肩作戰多年，卻因總踢到這位偉大的革命家，最後被逮捕了。

雨。整整下了六天的雨。隨後是霧。我和威廉・毛姆坐在倫敦一家酒館。我深為苦惱，因為我的第一部小說《驕傲的催吐藥》未得到好評。《泰晤士報》上原本正面的一篇書評，卻因為最後一句話把一切都抹殺了。它稱這部小說是「西方文字中絕無僅有的一堆蠢話，臭氣熏天」。

毛姆解釋說，雖然這句話可以從多個角度來解讀，但最好不要用在廣告詞中。我們沿著老布朗普頓路走著，雨又下了起來。我把我的雨傘遞給毛姆，他接了過去，儘管他已經有一把了。毛姆撐著兩把雨傘，我貼在他身邊一路小跑。

「對於評論，千萬不必太認真，」他跟我說，「我的第一篇短篇小說被某個評論家痛批一通。我百般思索，把此人挖苦了一番。後來有一天，我重讀一遍那篇小說，發現評論得很正確。那個短篇是淺薄，結構很差。我從未忘記這件事。多年後，當納粹空軍轟炸倫敦時，我把這個評論家的房子照亮了。」

毛姆停下來，又買了一把傘並撐開。「要當一名作家，」他說下去，「就必須碰運氣，別怕出醜。我寫《剃刀邊緣》時，頭上戴著紙帽子。在《雨》的第一稿中，薩迪．湯普森是隻鸚鵡。我們摸索前行，承擔風險。開始創作《人性枷鎖》時，我腦中只有一個連詞『和』。我知道一個故事中有了『和』字，讀起來就會使人愉快。其餘的則逐漸成形。」

一陣風把毛姆吹離地面，撞到一棟房子上。他咯咯直笑。接著，毛姆提出了一個給予年輕作家最偉大的忠告：「在問句的末尾要點上問號。你會驚訝於它產生的效果。」

作惡多端的時代

Nefarious Times We Live In

好吧，我承認。是我，舉止溫和、一度前程似錦的威拉德．波格列賓，朝美國總統開了槍。對所有有關單位而言，幸運的是路邊旁觀者中衝出一人，推開我手中的手槍，子彈從麥當勞的招牌上彈回來，落進希默爾斯坦香腸店裡的德式香腸裡。一陣輕微的扭打過後，幾個特警把我的氣管擰成了死結，將我制伏，扔上車送去觀察。

我怎會走到這步境地？你問道。我從無明顯政治立場，童年的志向是用大提琴演奏孟德爾頌，或是在世界各國首都跳芭蕾舞，為何會變成這樣？這一切都是從兩年前開始的。當時我因病從陸軍退役，病因是他們瞞著我在我身上做科學實驗。具體是這樣的：軍中開展了一項研究，要一組士兵專吃餵了麥角酸的烤雞，看一個人要吸收多大劑量的迷幻藥物，才會產生飛越世界貿易中心的念頭。研製秘密武器對五角大廈十分重要。前一週，我身上中了一枚塗了藥物的飛鏢，結果導致我的舉止言談都與薩爾瓦多·達利一模一樣。副作用逐漸積累，損害了我的感知。當我再也分不清我哥哥莫里斯和兩顆煮熟的雞蛋時，他們就讓我離開了軍隊。

退伍軍人醫院的電子振盪療法還算有效，儘管電線和行為心理學實驗室纏在一起，我因此和幾隻黑猩猩用完美的英語一起表演了《櫻桃園》。退役時我身無分文，孤獨一人。我記得沿著公路往西走，搭上了兩個加州人的車。這兩人一個是蓄著拉斯普京[13]式鬍子、魅力超凡的小伙子，一個是蓄著斯文加利[14]式鬍子、魅力超凡的女孩。他們說我就是他們要找的人，他們正在把喀巴拉經籍謄寫到羊皮紙上，血不夠用了。

我跟他們解釋我正要去好萊塢找個正經的工作。可是他倆催眠人心的眼睛、手裡如船槳般大的刀子讓我明白他們是玩真的。我記得被拉到一處破敗的農舍，幾個被迷了心竅的年輕女子強行餵我健康有機食品，接著用一支燒紅的烙鐵在我腦門烙上一個五角星。後來我目睹了一場黑色彌撒，一名蒙著頭套的少年侍祭用拉丁語唱起「啊，哇」。我還記得有人逼我吃仙人掌和可卡因，以及仙人掌煮過後留下的一種白色物質，使得我的頭像雷達一樣旋轉不停。其他的細節我都忘記了，我的腦子顯然受了刺激。兩個月後，我在貝弗利希爾斯要和一隻牡蠣結婚，結果被捕。

從拘留所出來後，我渴望內心的寧靜，以求保留僅存的一點清醒神志。我不止一次在街上被特別熱心的傳教者攔住，要我追隨丁周博牧

---

13 拉斯普丁（1869－1916）：帝俄時代尼古拉二世時的神秘主義者，因擾亂朝政，被貴族聯合暗殺。由於其行跡和外表，被後世塑造成邪惡的化身。

14 斯文加利（Svengali）：達夫妮・杜穆里埃（Daphne du Maurier）筆下的邪惡角色。

師，接受宗教的拯救。丁牧師扁平臉，魅力十足，既宣講老子的教誨，也傳授羅伯特・韋斯科[15]的智慧。身為禁慾主義者，他聲稱自己的財富中多於查爾斯・福士特・凱恩[16]的那部分，將統統放棄。丁大師解釋了他的兩個小目標，一個是把禱告、齋戒和兄弟情誼灌輸給所有教友；另一個是率領眾教徒向北約國家發起宗教戰爭。聽了幾次講道後我注意到，丁牧師依仗的是信徒們機器人般的絕對忠誠，信徒忠信的狂熱稍一減弱，就受到猜疑。當我提到，牧師的追隨者好像受到一個欺詐的誇大狂有系統的擺布，變成了一群行屍走肉的僵屍時，就被認為這是在批評他們。很快，有人拉著我的下嘴唇進入一間禱告室。室內，幾個相撲手似的信徒建議我在沒有食物與水這類瑣事的干擾下，用幾週時間重新考慮自己的觀點。為了強調他們所有人對我的態度的失望程度，他們用塞滿硬幣的拳頭，有節奏地撞擊我的牙床。可笑的是，唯一支撐著我讓我沒有發瘋的，是不停地重覆一種咒語。最後我撐不下去，開始出現幻覺。我記得看見了弗蘭肯斯坦[17]踩著滑雪板在柯芬園散步，手裡還拿著一個漢堡。

四個星期後，我在一家醫院醒了過來，狀況還好，只是身上有些瘀傷，腦子裡確信自己是伊果．史特拉汶斯基。我聽說一個十五歲的印度禪師把丁牧師告上法庭，要法庭裁定到底誰是真神，誰享有在洛氏影院免費看電影的權利。最後，問題在詐騙案偵緝隊的幫助下得以解決，兩位大師在跨越邊界逃往墨西哥涅槃鎮時被捕。

到此時，我雖然身體無恙，情緒的穩定狀態卻堪比卡利古拉[18]。為

15 羅伯特．韋斯科（Robert Vesco，1935-2007）：美國金融家，後因被控金融詐欺而遠避他國。

16 查爾斯．福士特．凱恩（Charles Foster Kane）：電影《大國民》（Citizen Kane）裡的報業大亨。

17 弗蘭肯斯坦（Frankenstein）：小說《科學怪人》中的瘋狂醫生。

18 卡利古拉（Caligula，12-41）：羅馬皇帝，被認為是羅馬帝國早期的暴君。

了重建我破碎的心靈，我自願參加佩勒姆特醫生創建的「佩氏自我療法」項目。佩勒姆特醫生魅力十足，曾是個波普薩克斯風手，晚年轉習心理治療，他的方法吸引了許多電影明星。這些明星都指天發誓說，此療法比《柯夢波丹》雜誌上的星座專欄更迅速、更深刻地改變了他們。

一群精神病人被帶到一處歡快的田園溫泉，他們中大多數開始嘗試更為傳統的療法。我覺得，我本來應該從鐵絲網和獵犬中看出點什麼，可是佩勒姆特的手下安慰我們說，裡面傳出的尖叫是原始情緒的釋放。我們被迫直直地坐在硬背椅子上，一坐就是七十二小時，不得休息。我們的抵抗力逐漸削弱，很快佩勒姆特就為我們念起《我的奮鬥》。我們漸漸明白了佩勒姆特完全是個精神病患者，其治療方法只是偶爾訓斥一聲「打起精神來」。

有幾個人失望了，試圖離去，但懊惱地發現周圍的籬笆都通了電。雖然佩勒姆特聲稱自己是心理醫生，但我注意到，他不停地接到阿拉法特打來的電話。若非西蒙・維森塔爾[19]的偵緝人員趕在最後一刻搜查這裡，誰也說不準會發生什麼事情。

發生這些事情後，我變得很緊張，自然也憤世嫉俗。我移居舊金山，在柏克萊校園煽動學生，又向聯邦調查局（FBI）通風報信，這是我目前餬口的唯一辦法。幾個月裡，我把情報一次次賣給聯邦探員，內容主要是中央情報局（CIA）計畫在水庫裡投放氰化鉀，測試紐約市居民的抗毒能力。這個工作之外，我還被招募擔任一部凶殺色情片的對白教練，這樣，我稍微能填飽肚子。一天晚上，就在我開門把垃圾袋拿出去時，兩條漢子從黑影裡跳出來，用蓋家具的布套蒙住我的頭，把我推進一輛車的後備廂。我記得被打了一針，在我昏迷之前，我聽見有人

19 西蒙・維森塔爾（Simon Wiesenthal，1908-2005）：猶太裔奧地利建築師，著名的納粹獵人。

說，我好像比帕蒂重，比霍法輕。醒來後發現，我被關在一個漆黑的壁櫥，三個星期裡，我被強行剝奪了一切感知。之後，我被專家搔癢，還有兩個人對我唱起鄉村音樂和西部歌曲，直至我同意為他們做任何事為止。我不能擔保後來發生的一切都是我被洗腦造成的後果，不過我之後被帶進一個房間。進去後福特總統和我握手，問我是否願意和他一起到全國各地走走，並時不時朝他開一槍，但要小心，不可打中。他說這將給他一個表現勇敢的機會，並且可以分散大眾對真正問題的注意力。我在神志虛弱的情況下同意了所有安排。兩天之後，希默爾斯坦香腸店的事件就發生了。

人類邁出的一大步
A Giant Step for Mankind

昨天午餐我吃怪味雞，這是中城一家我喜歡的飯館的招牌菜。飯桌上，我耐著性子聽一位熟人劇作家為自己最新作品辯護，爭辯的對象是幾張讀來好像《西藏度亡經》的短評。摩西·戈德沃姆非要把他自己的戲劇對白和索福克勒斯的扯在一起，他一邊狼吞虎嚥地吃菜，一邊如卡瑞·納辛[20]一樣痛斥紐約的劇評家。當然，我也只能深表同情地聽著，

20 卡瑞·納辛（Carry Nation，1846-1911）：美國主張禁酒者。曾使用短柄小斧搗毀酒吧，由此聞名。

勸他說像「毫無希望的劇作家」這句話可有不同的解釋。接著，飯館裡的平靜安謐剎那間變成了嘈雜混亂，這位沒能出道的劇作家從椅子起身，一時說不出話來。他一手抓住脖子，一手狂亂舞動，臉色發紫，樣子讓人聯想到托馬斯·庚斯博羅。

「天哪，他怎麼啦？」有人尖叫起來。只聽餐具嘩啦啦掉在地上，每張桌子上的人都轉過頭來張望。

「是冠心病犯了！」一位侍者喊。

「不是，是痙攣，」旁邊餐桌上的一人說。

戈德沃姆仍在掙扎，揮舞手臂，但卻越來越沒了力氣。出於好心卻又歇斯底里的人們紛紛提出自己的主意，否決他人的建議，急得連聲音都變了。此時，劇作家像一袋鐵釘一樣癱倒下去，證實了侍者的診斷。戈德沃姆可憐地縮在地上，好像注定要在救護車到來前悄然離世。恰在此時，一個身高六尺的陌生人邁著太空人般沉著的步伐，走到人群中心，以抑揚頓挫的口氣說：「大夥們，看我的。我們不需要醫生，這不是心臟病。這位老兄抓住喉嚨，說明他噎著了。全世界都知道這種信號。他的症狀看上去和心臟病一樣，但是我敢擔保，用哈姆立克急救法就能把他救過來。」說罷，這位挺身而出的英雄從後面抱住我的飯友，把他拖立起來。接著，他把拳頭頂在戈德沃姆的胸骨下方，猛然用力一擠，只見一塊豆腐從戈德沃姆的氣管裡飛出來，彈到衣帽架上。戈德沃姆蘇醒過來，感謝了這位救命恩人，此人則指給我們看牆上張貼的衛生局告示，那上面絲毫不差地描述了方才發生的那一幕。我們剛剛目睹的，確實是「常見的噎食跡象」，它描述了噎食人的三種症狀：(1)無法講話或呼吸，(2)臉色發紫，(3)癱倒。告示上接著就明確指導了救生的程序：同樣是猛然一摟，食物從口中飛出，就如我們親眼所見的一樣，也省卻了戈德沃姆永別後的各種麻煩手續。

幾分鐘後，在沿著第五大道散步回家，我心想著，海姆利克醫生發明了我剛剛見過的了不起的救生法，其大名如今家喻戶曉；可是他是否知道，他差一點被三個至今都毫無名氣的科學家搶了先。這三位科學家連續研究了好幾個月，為同一危險的噎食經歷尋找解救法。我還在思忖，他是否知道這三名科學先驅中，有一無名成員保留了一本日記。這本日記在拍賣時竟然陰差陽錯地被我買走，因為它的分量和顏色和帶插圖的《後宮性奴》極為相似，我出的價錢僅僅是我八個星期的薪水。以下是日記節選，我抄錄在此，純粹是為了科學的進步：

一月三日：今天，我第一次見到我的兩位同事，發現他倆都魅力十足，雖然沃夫山完全不是我想像中的樣子。比方說，他比照片裡看上去更重（我想，他用的是舊照片）。他的鬍子不長不短，但好像馬唐草一般雜亂無章。還有，他眉毛濃密，眼睛又圓又亮，大小如微生物，在厚如防彈玻璃的鏡片後面可疑地亂轉。還有抽搐。此人積存了面部抽搐和眨眼的全套劇目，至少需要史特拉汶斯基的全套樂譜來伴奏。然而，阿布．沃夫山是個才華橫溢的科學家，他的餐桌噎食研究使其揚名四海，成為傳奇人物。對於我熟讀他關於「打嗝」的文章，他感到受寵若驚，並向我透露說我一度被質疑的理論——即打嗝是天生的——如今在麻省理工學院已被普遍接受。

若是說沃夫山長得古怪，那我們三人行中的另一成員則恰恰符合我讀其論著後得出的印象。舒拉密斯．阿諾菲尼通過研究複合脫氧核糖核酸造出了能唱《容我的百姓去》的沙鼠。她極具英國特色，總穿粗花呢衣服，頭髮在後腦勺紮成圓髻，黑框眼鏡耷拉在鷹鈎鼻子上，此外，她講話時有個毛病，常口沫橫飛，當說「僻靜」一詞時，就如遇上傾盆大雨。這兩人我都喜歡，預計我們會有重大發現。

一月五日：事情進行得不像我希望的那樣順利，沃夫山和我對工作程序略有分歧。我建議在老鼠身上進行初步實驗，但他認為這過於膽小，毫無必要。他的想法是在囚犯身上做實驗，每隔五秒鐘就餵他們大塊的肉，指示他們不嚼就咽。他聲言，只有這樣才能真實地全方位觀察問題。出於道德的原因，我提出疑慮，沃夫山開始為自己辯護。我問其是否把科學置於道德之上，並反對他把人等同於倉鼠。我也不同意他出於主觀情緒稱我為「獨一無二的白痴」。幸好，舒拉密斯站在我一方。

一月七日：今天，舒拉密斯和我頗有成果。我倆日夜不停，使一隻老鼠出現了窒息。我們哄騙那隻老鼠吃一大塊豪達乳酪，然後逗其大笑。果然，食物進錯了地方，發生了噎食。我抓住老鼠尾巴，使勁一扯，乳就掉出來了。對此，舒拉密斯和我做了大量筆記。若是能把這種扯尾巴的方法應用到人身上，說不定會有所斬獲。但還為時尚早。

二月十五日：沃夫山想出一個理論，堅持要試驗其成效，但是我認為他的理論過於簡單。他的理論是：一個人如發生噎食，可以（用其原話）「喝杯水」來解救。開始，我以為他是開玩笑，但他舉止緊張，目光強烈，表明他對自己的理論很執著。顯然數日來他一直在琢磨這個想法；他實驗室裡擺滿了玻璃杯，每個杯子盛著不同容量的水。我對此表示懷疑，他責備我態度消極，開始像跳迪斯可舞一樣扭來扭去。看得出他很恨我。

二月二十七日：今天休息。舒拉密斯和我決定開車到鄉下去。到了大自然中，所有關於噎食的念頭都被拋在了千里之外。舒拉密斯告訴我她曾結過婚，丈夫是個科學家，是研究放射性同位素的先驅，但在參議院委員會作證時，整個人忽然消失無影了。我們談起各自的愛好和興趣，結果發現，我們都喜歡同一種細菌。我問舒拉密斯，我要是吻她，她覺得如何。她說：「太棒了，」淋漓盡致地發揮了她講話噴口水的毛病。我得出結論，認為她是個漂亮女人，尤其是通過防X光的屏幕去看的時候。

三月一日：現在我相信了，沃夫山是個瘋子。他的「喝杯水」理論試驗了十幾次，但無一次證明有效。我告訴他別再浪費寶貴的時間和資金了，他抄起一個培養皿扔過來，砸在我鼻子上又反彈出去。我不得不拿一盞本生燈逼他就範。和往常一樣，工作一變難，不安的情緒就滋長。

三月三日：由於我們危險的實驗得不到實驗品，我們只得穿行在大小餐館，希望碰上好運氣能撞上噎食者，以便迅速搶救。在聖蘇西熟食店，我抓住羅絲·莫斯科維茨夫人的腳踝，把她提起來搖晃幾下，雖然我設法把一大塊麥餅搖出來，可她好像不大領情。沃夫山提議，我們不妨拍拍噎食者的後背；他還說，拍打後背這一重要概念還是三十年前費米在蘇黎世一次探討消化問題的研討會上向他提出的。為深入探究這一概念的撥款申請被回絕了，政府決定先研究核能。順便一提，沃夫山原來是我的情敵，昨天他在生物實驗室裡向舒拉密斯表白。當他想吻她時，她用一隻冷凍猴打他。他成了一個非常複雜且傷心的人。

三月十八日：今天，在馬爾切洛維拉餐館，恰巧碰上一位圭多・博托妮夫人噎住了。後來發現，讓她噎住的是肉餡卷或乒乓球。正如我所預見的，拍她後背無濟於事。沃夫山放不下他的舊理論，想遞上一杯水，不幸的是，水是從一位在水泥承包業中頗有地位的紳士的桌子抓來的。結果我們三人被從上菜窗口送出去，一遍又一遍地往電線杆撞。

四月二日：舒拉密斯今天提出長鑷子，就是說，用某種長鑷子或長鉗子，把掉進氣管的食物夾出來。每位公民都隨身攜帶這樣一件工具，由紅十字會宣傳使用。我們急於試用這一方法，驅車趕往貝爾納普海鮮餐廳去幫一位費絲・布里茨坦夫人，把卡在她食道裡的一塊蟹肉餅取出來。不幸的是，這位張著大嘴拚命喘氣的夫人見我拿出嚇人的鑷子，一口咬住我手腕，我一鬆手，鑷子就掉進了她喉嚨。多虧她先生眼明手快，抓著她頭髮將她舉離地面，像玩溜溜球一樣上下來回跳，才免於惹出人命。

四月十一日：我們的研究項目結束了，但遺憾的是實驗沒有成功。我們基金會理事會決定中斷資金，他們認為剩下的錢用於投資歡樂蜂鳴器可能更有賺頭。我聽到研究終止的消息後，得呼吸些新鮮空氣，清醒一下。夜裡，我沿著查爾斯河散步，不由得想到科學的局限。或許，人在吃東西時注定偶爾會被噎住。或許，這都是某種捉摸不透的宇宙大局中的一個環節。我們是否自負到以為科學研究能夠控制一切了？人吞食一塊太大的牛排，結果噎著了。還有什麼比這更簡單明瞭？還需要別的證據來證明宇宙精妙的和諧嗎？我們永遠不會知道所有的答案。

四月二十日：昨天是最後一天。下午我在食堂碰上了舒拉密斯。她正一邊翻看一本關於新皰疹疫苗的專題論文，一邊大嚼醃鮭魚，好堅持到晚飯時分。我從後面悄悄走近，無聲地伸出胳膊摟抱她，想嚇她一跳，感受一下只有情人才能體驗到的極度歡欣。正在此時，她噎住了，一塊魚卡在了咽喉。我的胳膊仍摟著她，我的手也在她的胸骨下方握緊，天意如此。稱其天生本能也好，稱其科學運氣也好，不知什麼讓我的手握成拳頭，對她的胸部猛地一頂。剎那間，那塊魚出來了。不一會，這位可愛的女子就又安然如初了。當我將此告訴沃夫山時，他說：

「是啊，當然。這對鯡魚有用，但對黑色金屬管用嗎？」

我不知道他是什麼意思，也不想知道。研究項目結束了。或許我們確實失敗了，但是其他人還會踏著我們的足跡繼續前進，最終取得成功。確實，我們都能預見到有一天，我們的子女，或是我們子女的子女，終將生活在一個任何人都不會因吃主菜而危及性命的世界上，無論這個人是什麼種族、什麼信仰、什麼膚色。最後插一段個人事情，舒拉密斯和我要結婚了。而且，在經濟略微好轉之前，舒拉密斯、沃夫山和我決定開一家真正一流的紋身沙龍，提供大眾亟需的服務。

最淺薄的人
The Shallowest Man

我們坐在一家熟食店裡討論熟人中的淺薄之徒，科佩爾曼提起了倫尼·門德爾這個名字。科佩爾曼說，門德爾肯定是他所遇見的人中最淺薄的，無人能望其項背。接著，他講述了以下的故事。

幾年來每週都有一場撲克牌局，成員差不多是同一群人。牌局在一間租來的旅館房間進行，賭注很小，主要是用來娛樂消遣。幾個人賭點錢，吹吹牛，吃吃喝喝，談論女人、體育和生意。過了一段時間（誰也說不準具體是在哪個星期），他們注意到其中一個叫梅耶·伊斯科維茨的人臉色不佳。可是每當大家提起，他就嗤之以鼻。

「我沒事，沒事，」他說，「該誰了？」

但是幾個月之後，他的臉色越來越差。一次他沒來打牌。人們說他患肝炎進了醫院。每個人事先都覺得有點預兆不祥，所以三週後，當正在錄電視節目的倫尼·門德爾接到索爾·卡茨打來的電話時，他並沒有特別吃驚。卡茨在電話上說：「可憐的梅耶得了癌症。是淋巴癌。惡性的。已經全身擴散。他住進了史隆凱特琳癌症紀念中心。」

「太可怕了。」門德爾在電話另一端說。他有氣無力地喝著酒，突然感到心情低落。

「我們今天去看他了。他真可憐，沒有家人，臉色難看。可是他一直都很健壯。唉，什麼世界。好吧，他住在史隆凱特琳癌症中心，約克大街一千二百七十五號。探訪時間是十二點到八點。」

卡茨掛了電話，倫尼·門德爾情緒十分低落。門德爾四十四歲，覺得自己還算健康。（忽然間，他的自我評估打了折扣，好避開霉運。）

他比伊斯科維茨只小六歲。兩個人之間的關係雖然不是特別密切，但五年來每星期都一起打牌，有說有笑。真可憐，門德爾想，我覺得應該送束花去。他叫全國廣播公司的一位秘書多蘿西給花店打個電話並安排妥當。那天下午，想到伊斯科維茨即將過世，他心情沉重；可更讓他心神不定的是，他真真切切地認識到，自己被期望去醫院探望這位牌友。

真是一件麻煩事，門德爾想。他為自己想躲開這整件事的念頭深感內疚，但他又不願意在這種情況下看到伊斯科維茨。門德爾當然知道人必有一死。他甚至有些欣慰地記起，自己曾在某一本書中讀到一句話，說死不是生的對立面，而是生的一個自然組成部分。可是，當切身想到自己也有百年之後時，他不免感到無盡的驚恐。他不信教，不是英雄，也不是禁欲者。在日常生活中，他不想一會是葬禮，一會是醫院，一會是絕症病房。如果在街上看見一輛靈車，那情景可能幾小時都揮之不去。現在，他想像伊斯科維茨枯槁的病體出現在自己面前，而他還要在尷尬之中開點玩笑，或是說些什麼。他討厭醫院裡毫無特色的瓷磚和千篇一律的燈光。還有人們壓低嗓門講話、靜悄悄的氣氛。裡面總是過分的暖和，令人窒息。午餐盤子，病人用的便盆，穿病號服的老年人和拄枴杖的人在樓道裡緩緩而行，沉悶的空氣中飄滿了稀奇古怪的細菌。如果說關於癌症是種病毒的傳聞都確切屬實，那該怎麼辦？我和伊斯科維茨應該同在一個房間嗎？誰知道這病是否傳染？好好想想，人們對這種可怕的病症到底知道多少？一無所知。某一天他們會發現，在形形色色的癌症中，有一種是經伊斯科維茨咳嗽傳給我的。也許是因我的手摸到他的胸部傳染的。一想到伊斯科維茨將在他眼前噝氣，他就嚇壞了。他將看到先前精壯有力、如今形容枯槁的熟人（忽然間，他變成了熟人，而非朋友）喘著最後一口氣，把手伸向門德爾說：「我不想走，我不想走！」天哪，門德爾想著，額頭上滲出豆粒大的汗珠。我沒興趣去探望梅耶。難道我就非去不可？我們從來沒親近過。說實話，我一星期才見他一次，只是為了打牌。我們說話從來不多。他僅僅是個牌友。五年來我們從未在旅館外見過面。現在他快要死了，我突然有義務要去探望他了。忽一下子，我們成了哥們，還過從甚密。老天爺，他跟牌桌上任何人的關係都比跟我更近。說起來，我跟他是最一般的。讓他們去探望他吧。說到底，一個病人需要多少人去看呢？反正他是要死的人了。他要的是安靜，不是一個接一個地說些沒用的安慰話。不管怎樣，我今天有彩排，去不成了。他們以為我是誰，閒得發慌的人？我剛晉升為副製片，腦子裡千頭萬緒。此後的幾天也沒空，要製作聖誕節目，這裡都亂成一鍋粥了。所以，就下週吧。有什麼了不起的？下個週末。誰知道他能不能活到下個週末？他要能，我就去。要是不能，那到底還有什麼區別呢？如果這顯得冷酷，那生活就這麼冷酷。與此同時，開場獨白還需要潤色，需要更多針對時事的幽默。不要那麼多千篇一律的笑話。

倫尼·門德爾一個藉口接一個藉口，拖了兩個半星期也沒去看伊斯科維茨。當他越來越覺得自己應該去探望病人時，就深感內疚，更讓他內疚的是，他發現自己隱約期望聽到伊斯科維茨已死、一了百了的消息，那樣他就解脫了。他思忖著，反正得有一死，為什麼不利落些呢？為何拖延下來受苦呢？我知道這話聽上去好像沒心肝，我知道我不大果斷，但是處理這類事情，有些人就是比別人強。比如說探望病人這類事。這讓人壓抑。好像我要煩的事還不夠多似的，他默默想著。

但是沒聽到梅耶過世的消息傳來。聽見的只是牌桌上幾位朋友講的話，令其心生愧意。

「你還沒去看他？你真的應該去。去看的人很少，他心裡很是感激。」

「他總盼著你去，倫尼。」

「是啊，他一直喜歡倫尼。」

「我知道你的節目一定特別忙，可你應該努力爭取一下。說到底，他還能活多久呢？」

「我明天就去。」門德爾說。但是到了該去的時候，他又推遲了。實際上，當他終於鼓足了勇氣去醫院待上十分鐘，不是出於對伊斯科維茨的同情，而是出於維護自己的形象。門德爾知道，如果伊斯科維茨死了，而他因過於膽小或反感而沒去探望，他可能會為自己的懦弱後悔不已，一切將無法挽回。他想，我會憎恨自己缺少勇氣，別人也會瞭解我的本性——一個只顧自己的小人。另一方面，假若我去探望伊斯科維茨，表現得像個男子漢，我在自己眼裡和世人眼裡的形象都會高大起來。這裡的關鍵是，促使門德爾去醫院探望伊斯科維茨的原因，並非是後者需要安慰和陪伴。

故事到此出現了轉折，因為我們探討的是淺薄，而倫尼・門德爾創紀錄的淺薄的完完全全正在顯露出來。一個寒冷的星期二，晚七點五十分（這樣，即使他想多待一會，也不可能超過十分鐘），門德爾從醫院保安手裡接過了塑料通行證，前往一五〇一號病房。病房裡，伊斯科維茨一人躺在床上，讓人吃驚的是雖然他的病情已經發展到此地步，但看上去氣色還相當不錯。

「怎麼樣，梅耶？」門德爾有氣無力地問，力求與病床保持一段距離。

「是誰呀？門德爾？是你，倫尼？」

「我一直在忙。不然早就來了。」

「噢，你太費心了。真高興見到你。」

「你怎麼樣，梅耶？」

「我怎麼樣？我要戰勝它。倫尼，記住我的話。我要戰勝它。」

「你一定能，梅耶，」倫尼・門德爾細聲細氣地說，透著緊張，「六個月之後，你就又在牌桌上耍賴了。哈哈，開玩笑的，你從來不耍賴。」話題要輕鬆，門德爾想，要多說些打趣話。不要把他當作垂死之人，門德爾想起從書上看到關於這類事情的忠告。在這間空氣不流通的小房間裡，門德爾想像著，伊斯科維茨身上發散出大量致命的癌細菌在暖空氣中繁殖，自己都吸了進去。「我給你買了份《郵報》。」倫尼說，並把報紙放在桌上。

「坐下，坐下。要趕著去哪？你才剛到。」梅耶熱情地說。

「我哪也不去。只是探視規定時間不宜太長，為病人好。」

「有什麼新鮮事？」梅耶問。

門德爾只好拉過椅子（離得不太近），陪他聊到八點整，盡量說些打牌、體育、新聞和金融等事情，腦子裡一直清醒地記著一個壓倒一切的可怕事實：儘管伊斯科維茨表現得樂觀，但他絕不會活著離開醫院。門德爾出汗了，感到頭昏眼花。無形的壓力，佯裝歡笑，無處不在的疾病，以及對自己生命之脆弱的意識致使門德爾的脖子僵硬起來，口乾舌燥。他想離開。時間已經是八點過五分了，可是還沒人催他走。探視規定執行得不夠嚴。伊斯科維茨輕聲細語地回憶著舊日時光，他卻如坐針氈；又過了難熬的五分鐘，門德爾覺得要昏過去了。正當他無法忍受之際，發生了一件大事：護士希爾小姐走了進來。她年方二十四，金髮碧眼，長髮飄逸，美貌動人，面帶親切迷人的微笑對倫尼．門德爾說：「探訪時間過了。你該離開了。」倫尼．門德爾一輩子沒見過這麼美妙的尤物，瞬間墜入愛河。事情就這麼簡單。門德爾目瞪口呆，他終於看到了自己夢中的女人。他沉浸在最深切的渴望之中，心中隱隱作痛。天啊，這像是電影。毫無疑問，希爾小姐絕對招人喜愛。她身著白色護士服，嫵媚豐滿，眼睛又大又亮，嘴唇豐厚誘人。她有著漂亮的高顴骨和完美的胸型。她把床單拉好，用甜美的聲音和梅耶．伊斯科維茨善意地逗笑，同時又滿懷對患者的溫情關懷。最後她收起餐盤，離開之前朝倫尼．門德爾眨眨眼，輕聲說：「該走了。他需要休息。」

「這是你平常的護士？」她走後，門德爾問伊斯科維茨。

「希爾小姐？她是新來的。特別愉快。我喜歡她。不像其他幾個脾氣差的。他們來時還算友善，也滿有幽默感。好了，你該走了。倫尼，看到你真高興。」

「是啊，沒錯。看到你也很高興。」

門德爾恍恍惚惚地站起身，來到走廊，希望在上電梯前碰上希爾小姐。可是她蹤影全無。門德爾來到街上，吸了夜間的冷空氣，他知道他必須再見到希爾小姐。在坐計程車穿過中央公園回家的路上，他心想，天哪，我見過女演員，見過女模，可是這位年輕護士比那些人加在一起都更可愛。我為什麼沒跟她說話？我應該跟她說點什麼的。不知她結婚了沒有？噢，沒有，沒結婚，因為她叫希爾小姐。我應該問問梅耶。當然，如果她是新來的……他腦子裡想到了所有的「應該怎樣」，想著自己錯失了大好時機；過後他又安慰自己，他至少知道她在哪裡工作，等他定下神來可以再去找她。他又想到，或許最後他會發現她就如同在演藝界遇見的那麼多漂亮女人一樣，毫無才氣或是單調乏味。當然，她是護士，這意味著她可能更關心人，更有同情心，不那麼高傲自大；要麼意味著，等我更瞭解她之後，她也就是個負責端盆倒水的平凡人。不，生活不能如此殘酷！他掂量著是否要在醫院外等她，但又想她可能要輪班，會等不到她。另外他擔心如果唐突地跟她搭訕，可能讓她不悅。

第二天，他又來探望伊斯科維茨，還帶來了一本《賽事集錦》，他覺得這會使人對他的探訪少生猜疑。伊斯科維茨見了他又驚又喜，可是，希爾小姐當晚不值班，晃進晃出的是一位叫卡拉瑪努利斯的悍婦。門德爾難掩失望之情，他費力聽著伊斯科維茨說話，但聽不進去。伊斯科維茨服了鎮靜藥，一點沒注意到門德爾心緒煩亂、急於離去。

第三天，門德爾又來了，這次他發現夢中的天仙在看護伊斯科維茨。他結結巴巴地講了幾句話，離去時，設法在走廊裡靠近她，聽到她和另一位護士的談話。門德爾從談話中得到的印象似乎是，她有男朋友，兩人隔天晚上要看音樂劇。在等電梯時，門德爾一邊裝出若無其事的樣子，一邊全神貫注去聽，想探聽到她和男朋友的關係如何，但聽不到所有的內容。他好像聽到她訂婚了，雖然她沒戴戒指，可他覺得聽見她提到「我的未婚夫」。他感到氣餒，想像著她依傍著某位年輕醫生，說不定是位傑出的外科醫生，兩人志同道合。電梯門關上了，把他送往一樓，這一刻，他腦子裡留下的最後印象是希爾小姐走在走廊與另一位護士興致勃勃地聊天，臀部扭得十分誘人，美妙的笑聲穿透了病房的死寂。我一定要得到她，門德爾想，滿心渴望，渾身激情。一定不能像過去那樣把那麼多好機會給浪費了。我必須謹慎從事，不能像先前那樣操之過急。不能倉促行動。必須更瞭解她。她是否如我想像的那麼美好？假如是，她對那個人有多麼傾心？此人若不存在，我是否有機會？如果她是自由之身，我沒有任何理由不去追求她，贏得她的芳心。甚至從那男人那裡贏得她。不過我需要時間。需要時間瞭解她，需要時間接觸她，和她交談，和她說笑，讓她知道我的見識和幽默感。門德爾實際上像麥第奇家族的王子一樣搓著手掌，流著口水。最合理的做法是在探望伊斯科維茨時順便看她，慢慢地接近她，不必著急。我必須低調行事。過去窮追猛打、毫無顧忌的做法讓我屢屢敗北。我必須有所收斂。

主意已定，門德爾每天都來探望伊斯科維茨。病人簡直不相信自己交了好運，有這麼傾心相助的朋友。門德爾總帶些實實在在、考慮周到，並能使他在希爾小姐眼裡得分的禮物。如漂亮的鮮花、托爾斯泰的傳記（他聽到她提起過，她喜歡《安娜．卡列尼娜》）、華茲華斯詩集和魚子醬。伊斯科維茨對門德爾帶來的禮物感到詫異，他討厭魚子醬，也從沒聽說過華茲華斯。有一次，門德爾差一點給伊斯科維茨帶來一對古董耳環，因為他看到這樣的耳環時，就知道希爾小姐會很喜歡。

這位神魂顛倒的追求者不放過每次和伊斯科維茨的護士交談的機會。是，她是訂婚了，但他也瞭解到她有所顧慮。她未婚夫是個律師，可她卻幻想著嫁給更有藝術修養的人。儘管如此，她的情郎諾曼身材高大，皮膚黝黑，帥氣迷人，使得身材長相都很普通的門德爾自慚形穢。門德爾總是吹噓自己的成就和見解，聲音大小正好能讓希爾小姐聽見。他覺得這也許能打動她。然而每當他的行情看漲時，她就談到今後和諾曼的計畫。此人真走運，門德爾想。他和她共度歡樂時光，規劃未來，把嘴唇貼上她的嘴唇，脫下她的護士服，也許不是全部脫光。天啊，門德爾仰望蒼天，頻頻搖頭嘆息。

「你不知道這些天你來探視，對伊斯科維茨先生意義有多重大。」一天，希爾小姐和門德爾說。她愉快的笑容和大眼睛令他心中發狂。「他沒有家人，他的其他朋友大都沒有空餘時間。當然，我猜想是因為大多數人沒有同情心，或是沒有勇氣，不願跟晚期病人待很長時間。人們把垂死的病人置之腦後，不願再去費心。所以我覺得你的所作所為真了不起。」

門德爾盛情探望伊斯科維茨的事傳開了。在每週一次的牌局上牌友們交口稱贊門德爾。

「你真是太好了，」菲爾・比恩鮑姆一邊出牌一邊對門德爾說，「梅耶跟我說，誰也沒有你去得那麼勤。他說你去看他時，甚至穿得還很正式。」此時，門德爾腦子裡全是希爾小姐的臀部，怎麼也擺脫不掉。

「他怎麼樣？挺堅強的？」索爾・卡茨問道。

「誰挺堅強的？」門德爾仍想入非非。

「誰？我們在說誰呢？可憐的梅耶。」

「噢，對。挺堅強。沒錯。」門德爾敷衍著，根本沒注意到自己一手好牌。

時光流逝，伊斯科維茨更顯衰弱。一次，他虛弱地抬起頭看著門德爾，囔囔地說：「倫尼，我愛你。真的。」門德爾握著梅耶伸出的手，說：「謝謝，梅耶。我說，希爾小姐今天在嗎？啊？你能大聲點嗎？我聽不清楚。」伊斯科維茨無力地點點頭。門德爾說：「噢，你們說了些什麼？提到我了嗎？」

當然，門德爾發現自己處境尷尬，他根本不想讓希爾小姐知道，自己頻頻來訪竟然與探望梅耶．伊斯科維茨毫無關係，他不敢再進一步。有時人之將死，其言也透出哲思，類似於「我們生於世上，卻不知為何；還未知曉命運，一切就已了結。關鍵在於及時行樂。活著即是幸福。我還是相信上帝存在，當我環顧四周，看到陽光照進窗戶，或是看到星星在夜空閃爍，我知道上帝有其終極計畫，這真好」。

「說得對，對，」門德爾回答說，「希爾小姐呢？她還和諾曼在一起嗎？我問你的事你弄清楚了嗎？明天做檢查時你要是看到她，一定要弄清楚。」

四月的一個陰雨天，伊斯科維茨死了。斷氣之前，他再次對門德爾說他愛他，說門德爾這幾個月對他的關懷令他最為感動，是他經歷過的最深刻的體驗。兩週後希爾小姐與諾曼分手了。門德爾開始和她約會。他們的情緣持續了一年，然後就各奔東西。

「這故事有意思，」科佩爾曼講完這個倫尼．門德爾膚淺的故事後，莫斯科維茨說，「它說明了，有些人就是不安好心。」

「我可不這麼想，」傑克．菲什拜因說，「根本不是這麼回事。這故事是說，一個男人因為愛上一個女人，克服了對死亡的恐懼，哪怕只是一小段時間。」

「你說什麼呢？」特羅曼插了進來，「這故事的寓意是，因為朋友突然喜歡上某個女人，一個將死的人從中受益。」

「可是他們不是朋友，」盧波維茨爭辯道，「門德爾去醫院是盡義務，後來再去是謀私利。」

「這有什麼區別呢？」特羅曼說，「伊斯科維茨體驗到了人的親近，死時得到了安慰，即使這都緣於門德爾對護士起了色心，又有什麼關係？」

「色心？誰說是色心了？門德爾雖然膚淺，但那可能是他這輩子第一次萌生愛情。」

「這有什麼區別呢？」布爾斯基說，「誰在乎這個故事有什麼意義？就算它有點意義，也只不過是一段有趣的軼聞罷了。點菜。」

法布里齊歐餐廳：評論與反響
Fabrizio's: Criticism and Response

德高望重的美食評論家費邊・普洛特尼克在一份思想性較強的刊物上發表文章，評論位於第二大道的法布里齊歐維拉諾瓦餐廳，照例引發了一些頗有深度的反響。

義大利麵作為義大利新現實主義美食的一種表現方式，法布里齊歐餐廳的廚師馬里奧・史賓內利深諳其道。史賓內利麵揉得不疾不徐，創造出令顧客在座位上垂涎三尺的緊張感。他的寬麵條儘管古怪扭曲並淘氣到幾近惡作劇的程度，但這種手法得歸功於巴爾齊諾，眾所周知，巴爾齊諾將寬麵條用作社會變革的手段。兩者之間的區別是，在於巴爾齊諾餐廳顧客期待吃到白色寬麵條；在法布里齊歐餐廳顧客吃到的是綠色寬麵條。原因何在？一切似乎毫無緣由。作為食客，我們對這種變革有點猝不及防。綠色麵條不大有吸引力，甚至令人不安，這一點廚師也未料到。另一方面，細扁麵則相當可口，沒有一丁點說教的意味。確實，其中含有一種普遍的馬克思主義特性，但隱藏在醬汁之中。史賓內利多年來一直是位忠誠的義大利共產黨員，他巧妙地將馬克思主義摻揉進義式餛飩裡，從而成功地擁護共產主義。

我從開胃菜開始品嚐，口味起初狀似隨意，可是當我注意到鯷魚時，寓意便明朗起來。史賓內利是否在說，這道開胃菜代表著人生，其中黑橄欖令人難以承受地提示人終有一死？若是如此，那芹菜在哪呢？是否故意省略？雅各貝利餐廳的開胃菜中只有芹菜，可是雅各貝利是個極端主義者，他是要喚起我們注意到人生的荒謬。誰能忘了他的蝦？四隻淋滿蒜蓉的蝦，其擺盤方式比所有專題著作都更加透徹地闡述了我們捲入越戰的經歷。這在當時是多麼憤怒！可是如今與吉諾・菲諾奇（吉諾韋蘇維奧餐廳）的香煎嫩牛相比，就顯得溫馴了。他們的小牛肉長達六尺，附上一塊黑色戚風蛋糕。（菲諾奇的小牛肉總是做得比魚或雞好吃，《時代》週刊在報導羅伯特・勞申伯格的封面故事時未提及菲諾奇，此乃極大疏忽。）史賓內利與那些先鋒廚師不同，他極少一氣呵成。比如做冰淇淋時他就猶豫不決，等做好時也融化了。史賓內利的風格總是帶有試驗性，尤其是在蛤蜊麵的烹調中。（史賓內利接受精神分析之前特別怕蛤蜊。他不敢打開蛤蜊，別人迫使他往裡面看，他便昏了過去。他起先烹飪蛤蜊麵時，用的是「蛤蜊代用品」，像花生、橄欖，最後在他崩潰前，還用了小橡皮擦。）

法布里齊歐餐廳的一道美味是史賓內利做的帕爾馬乾酪去骨雞。菜的名稱含諷刺意味，因為他在雞肉中加了不少骨頭，好像是說人生不能吞咽得太快，或是說必須得小心謹慎。進餐時要不停地從嘴裡掏出骨頭，放置盤中，讓這頓飯發出怪異的聲響。這讓人立即想起韋伯恩，他在史賓內利的烹調過程中不斷地被提及。羅伯特·克拉夫特在論述史特拉汶斯基時提出一個有趣的觀點，荀白克對史賓內利的沙拉的影響以及史賓內利對史特拉汶斯基《D大調弦樂協奏曲》的影響。事實上，義大利雜菜湯即為無調性的極佳例證。湯裡放進大大小小、各式各樣的菜，客人喝的時候嘴裡不得不發出聲響。這些聲響此起彼伏，有節奏地重複。我第一次到法布里齊歐餐廳吃晚餐，看見兩位顧客——一個男孩和一個胖子——正在同時喝湯，場面真是熱鬧，餐館裡的人都起立鼓掌。餐後甜點是餅乾果子冰淇淋，令我想起萊布尼茲的名言：「單子沒有窗子。」多麼恰如其分！一次，漢娜·鄂蘭曾跟我說，法布里齊歐餐廳的價格「合理，但不是歷史的必然」。我同意。

致編輯：

費邊．普洛特尼克關於法布里齊歐維拉諾瓦餐廳的美食評論清晰明瞭，實為高論。他深刻分析中的唯一不足是，法布里齊歐是個家庭式餐廳，但又不屬於典型的義大利核心家庭結構，而是依循產業革命前威爾斯中產階級礦工的家庭模式。法布里齊歐與妻子及兒子們之間是資本主義式關係，以合夥人相待。受僱者的性道德理念屬典型的維多利亞式——尤其是那位收銀台女孩。工作條件也反映了英國工廠中的問題，侍者每天被迫要工作八至十小時，餐巾也不符合現行的衛生標準。

達夫．拉普金

致編輯：

費邊．普洛特尼克關於法布里齊歐維拉諾瓦餐廳的美食評論中，稱其價錢「合理」。但他是否也稱艾略特的《四個四重奏》寫得「合理」？艾略特回歸到邏各斯[21]的較原初階段，反映反映了世界的內在理性，而雞肉麵售價竟然要八點五美元，即使考慮到天主教因素，也毫無道理。請普洛特尼克先生讀一下《交鋒》（一九五八年第二期）上的一篇文章《艾略特、轉世說與海鮮湯》。

埃諾．施密德爾

致編輯：

普洛特尼克先生在談及馬里奧．史賓內利的寬麵條時，顯然未考慮到分量，或者更直截了當地說，是麵條的多寡。奇數麵條和奇數麵條加偶數麵條一樣多。（明顯是個悖論。）從語言學上看這不合邏輯，因此，普洛特尼克先生用「寬麵條」一詞毫無準確性。寬麵條成為一種代號，即，假設寬麵條等於 x，那麼 $a = x/b$（b 為一常量，相當於任何菜餚的一半）。依照該邏輯，人們會說：寬麵條即是扁麵條！真荒唐。這句話顯然不能說成「寬麵條很可口」，而必須說成「寬麵條和扁麵條都不是波紋貝殼狀通心粉」。哥德爾曾一遍又一遍地宣布：「一切食物在食用前，都必須轉化為合理運算。」

麻省理工學院
沃德・巴布科克教授

致編輯：

我饒有興致地讀了費邊・普洛特尼克關於法布里齊歐維拉諾瓦餐廳的美食評論，認為此文只不過是歷史修正主義又一當代例證，令人震

21 邏各斯（Logos）：是古希臘哲學及基督教神學的重要概念。在古希臘文中有「話語」的意思。

驚。在史達林大清洗的最黑暗時期，這家餐廳不僅照常營業，而且還擴展了後廳，好容納更多顧客；對此我們竟忘得一乾二淨！餐廳裡沒有一個人對蘇聯政治迫害說過一句話。事實上，釋放蘇聯異議人士委員會曾請法布里齊歐餐廳把義式馬鈴薯餃從食譜上撤下，直至俄國人釋放格列戈爾．托姆辛斯基，但遭到拒絕。托姆辛斯基是著名的托派快餐廚師，當時已經編纂了一萬頁的食譜，均遭內務人民委員會沒收。

蘇聯法院藉口「造成一名次要官員腸胃不適」，把托姆辛斯基送到勞改營。當時法布里齊歐餐廳的那些所謂知識分子都哪去了？當全蘇聯所有衣帽間的女服務生被從家中帶走，被迫為史達林的爪牙掛衣帽時，餐廳衣帽間的蒂娜從未吭過一聲。還有，當蘇聯幾十名物理學家被控食量過大而被投進監獄時，許多餐廳關門表示抗議，但法布里齊歐餐廳依舊開門迎客，甚至實行了餐後送薄荷糖的策略！我自己在三〇年代曾在法布里齊歐餐廳用餐，發現此處根本是史達林主義者的溫床，無猜疑心的人們點了義大利麵，他們卻端上俄式薄煎餅。若說大多數顧客不知道廚房裡發生何事，未免荒謬。當有人點了海螺肉，送來的卻是布利尼餅，一切都昭然若揭。事實是，知識分子們寧願不去注意其中的不同。我曾與吉迪恩・齊厄普斯教授在那裡吃飯，端上來的是一整套俄國菜：羅宋湯、基輔雞和哈爾瓦[22]，可是他卻對我說：「這麵條太棒了！」

紐約大學

昆西・蒙德拉貢教授

費邊・普洛特尼克回覆：

施密德爾先生的來信顯示出他對餐廳的價格和艾略特的《四個四重奏》都一無所知。艾略特本人認為，花七點五美元買份好的脆皮雞肉麵

---

22 哈爾瓦（Halva）：風行於中亞、南歐、北非地區的傳統甜點。

「並不離譜」（引自《黨派評論》中的訪談）。艾略特在《乾燥的薩爾維吉斯》中借黑天神之口提出此觀點，雖然具體用詞略有出入。

我很感謝達夫．拉普金關於核心家庭的看法，也感謝巴布科克教授鞭辟入裡的語言學分析，不過，我對其方程式存有疑問，特提出以下模式：

⑴麵條中有一些是扁麵條；

⑵並非所有扁麵條都是細麵條；

⑶細麵條絕非麵條，所以，所有細麵條都是扁麵條。

維根斯坦曾用這一模式證明了上帝的存在。後來，伯特蘭．羅素用該模式證明上帝不僅存在，還發現維根斯坦長得太矮。

最後，我答覆蒙德拉貢教授。的確，史賓內利於一九三〇年代曾在法布里齊歐餐廳的廚房工作，或許比他該待的時間還久。然而有一件事無疑要歸功於他，當惡名昭彰的眾議院非美活動調查委員會施加壓力，迫使他把菜單上的「帕爾瑪火腿與甜瓜」改為政治色彩較淡的「帕爾瑪火腿與無花果」時，他上訴最高法院，促成了現已聞名遐邇的判決——「開胃菜應受到《憲法第一修正案》的全面保護。」

報應
Retribution

初次相遇，我就命中注定似地愛上康妮・蔡森，她對我也是一見鍾情，這成了中央公園西側有史以來無與倫比的奇跡。她高挑、金髮、高顴骨；演員、學者、萬人迷；無可改變的疏離、敵意與感性兼具的機智；以及足與其魅力分庭抗禮的玲瓏曲線，透露著淫蕩濕潤的情色誘惑。她是派對上每個小夥子追逐的對象，居然願意和我交往——我，哈羅德・科恩，骨瘦如柴、長鼻子、二十四歲、滿腹牢騷、剛嶄露頭角的劇作家，與她可說是八竿子打不著。確實，我會賣弄俏皮話，各種話題也能無所不聊，可是這位精靈這麼快就迷戀上我這麼點小天賦，我還是大吃一驚。

「你真可愛，」我倆倚著書架，喝著瓦坡裡切拉紅酒，吃著小點心，熱烈交談了一小時後，她對我說，「希望你會打電話給我。」

「打電話？我現在就想跟你回家。」

「太好了，」她笑得風情萬種，「說真的，沒想到我會給你留下印象。」

我裝出一副漫不經心的樣子，同時動脈中的血液正奔湧至意料中的地方。我滿臉通紅，老毛病了。

「我覺得妳美妙極了，」我說得她更心花怒放了。她這麼爽快接受其實我有點猝不及防。我借酒意擺出高傲的姿態是想為今後做鋪墊；比方說，在某次慎重的約會後，我提閨房之事，就不會顯得那麼突然，也不會違反某種已可悲地建立的柏拉圖式關係。雖然我是個小心謹慎、滿懷內疚、自尋煩惱的人，但今夜屬我所有。從任一方面都不可否認，康妮和我相互吸引；短短一小時後我們就開始如芭雷舞般的在床第間翻滾，全心全意地演出由人類激情所編排出的荒唐舞蹈。對我來講，這是我所經歷過最色情也最滿足的夜晚。事後，她心滿意足地躺在我懷裡時，我思忖著命運會如何跟我算這筆賬。我很快要失明？或是下肢癱瘓？哈羅德．科恩要被迫付出多麼沉重的代價，宇宙才能繼續和諧地運行？不過，這都是以後的事了。

隨後的四週裡平安無事。康妮和我相互探索對方，每有新發現都很欣喜。我發現她頭腦敏捷、令人興奮、容易感動；她的想像力豐富，談話時總能旁徵博引。她熟悉諾瓦利斯、《梨俱吠陀》，能背誦科爾．波特的每一首歌。在床上，她百無禁忌，樂於嘗試，本性上仍是個孩子。至於她的不足，你非得使出雞蛋裡挑骨頭的勁才能找到。她確實有點性情不定。到了餐廳點完菜後，她從來都要改主意，還總是在點了之後許久才改。每當我告訴她這對侍者和大廚都不公平，她總是會生氣。

還有，她三天兩頭改換飲食，一會全力推崇一種節食方法，再一會又去追捧新的時髦減重妙方。她的體重根本不超標，正好相反，她的身材讓《時尚》雜誌的模特兒都羨慕。可是她的自卑情結堪比法蘭茲．卡夫卡，時不時進行沉痛的自我批評。照她的說法，她是個愚蠢的無名之輩，根本不是演員的料子，更別提演契訶夫的劇目了。我不停地說些鼓勵的話，雖然我覺得，如果我對她的才智和身材的迷戀不能使她安心，那說什麼也沒用。

我們的羅曼史持續了大約六個星期，她的不安全感就完全顯露出來了。一天，她父母在康乃狄克州的家中舉行燒烤聚會，我終於能見她的家人。

「我爸爸很棒，」她很崇拜地說，「長得帥。媽媽也漂亮。你父母呢？」

「我覺得不漂亮。」我坦白道。實際上，我記不大清楚我家人的容貌，還把我母親家的親戚比作培養皿裡的某種東西。我對我的家人特別凶，我們常常互相挖苦爭吵，但我們很親近。我這輩子從沒聽見家裡哪個人說過一句恭維話。我猜自從上帝與亞伯拉罕立約後就沒有發生過。

「我父母從不爭吵，」她說，「他們也喝酒，但真心以禮相待。丹尼人也很好，」丹尼是她弟弟，「我是說，他有點怪，但人不錯。他是作曲家。」

「我真想見見他們。」

「希望你別愛上我妹妹林賽。」

「不會的。」

「她比我小兩歲，聰明又性感。人見人愛。」

「真不錯。」我說。康妮摸了摸我的臉。

「希望你喜歡她不要勝過喜歡我。」她用半認真的語調說，使她能夠優雅地表達這種擔憂。

「別擔心。」我給她打包票。

「不用擔心？你保證？」

「你們會互不相讓？」

「不會。我們很愛彼此。可是她的臉像天使一樣純潔，身材豐滿性感。她長得像媽媽，智商又特別高，還很有幽默感。」

「你真美。」說完我吻了她。但我必須承認，整整一天，關於二十一歲的林賽・蔡森的幻想就一直在腦子裡盤旋。我的天，我想，她要真那麼神奇可怎麼辦？要是真像康妮說的具有無法抗拒的魅力可怎麼辦？我會不會被迷住？雖說我膽小如鼠，可這位來自康乃狄克中上階層的林賽——林賽，是她！——魅力襲人，玉體含香，笑如銀鈴，我難道就不會被她吸引住？雖然我未受誓言的約束，但難保我不會拋棄康妮玩點新鮮花樣。我認識康妮畢竟只有六個星期。與她在一起是很快活，但也沒到愛她到痴狂的地步。不過，林賽得要有非比尋常的表現，才能給這六週笑聲連連、春情蕩蕩的狂歡浩海引起一陣漣漪。

當晚，我和康妮行了雲雨；可是當我入睡後闖進我夢鄉的卻是林賽。那位甜蜜的小林賽，可愛的優等生，有著如電影明星般的容顏和公主般的魅力。我輾轉反側，在半夜裡醒來，莫名地感到興奮並有了某種預感。

早上，我的奇異幻想退去了。早餐後，康妮和我帶了葡萄酒和鮮花直奔康乃狄克州。我們開車經過秋天的鄉村，聽著調頻電台上的維瓦第，談論著當天報紙的「藝術與閒暇」版。快要開進蔡森在萊姆鎮的府邸大門時，我又一次琢磨著是否會對這位魅力十足的妹妹目瞪口呆。

「林賽的男朋友也在吧？」我試探地問，因心懷鬼胎，聲音有點變。

「他們分手了，」康妮解釋說，「林賽每個月都會分一次。她專傷人心。」嗯，我想，把這些都撇開，這位少女還是單身一人。她會不會真的比康妮更讓人興奮？我覺得這不大可能，不過我還是鼓起精神，準備迎接任何結果。任何，當然，除了發生在那個清爽的星期天下午的「結果」。

院子裡聚會的人們歡聲笑語，開懷暢飲，康妮和我也加入進來。康妮家的人分散在其時髦、風光的友人中間。我一一拜見了她的家人。林賽妹妹確如康妮描述的那樣漂亮、嬌媚、談吐風趣，但我還是更喜歡康妮。在這兩人中間，我仍覺得康妮要比這位二十一歲的瓦薩學院畢業生更迷人。不，那天真正把我弄得失魂落魄的不是別人，而是康妮國色天香的母親艾米莉。

艾米莉．蔡森五十五歲，體態豐滿，皮膚曬成古銅色，她的臉似西部拓荒者那般讓人著迷，染霜的頭髮向後梳著，身上的曲線渾圓飽滿，正如布朗庫西雕刻的人物那樣。性感的艾米莉笑起來皓齒朱唇，滿面春光，開懷大笑時聲聲爽朗，散發出無法抵禦的熱情和誘惑。

我想，這家人多了不起的細胞！多了不起的基因！而且代代相傳：

艾米莉．蔡森與我在一起時，像她女兒一樣那麼放鬆自如。顯然她喜歡跟我談話，從頭至尾都和我在一起，根本不顧其他的賓客。我們談到了攝影（她的愛好）和書籍。她正在饒有興致地讀約瑟夫．海勒的一本書。她給我倒酒時，笑聲朗朗地說：「上帝啊，你們猶太人怎麼這麼有異國情調。」異國情調？她應該要認識格林布拉特，或是我父親的朋友米爾頓．沙普斯坦夫婦，或者是我表弟托瓦。異國情調？他們人是很好，可是為了怎樣防治消化不良，或是看電視時應該離電視機多遠沒完沒了地爭吵，哪有一點異國情調。

艾米莉和我聊電影聊了好幾個小時。我們還談到我對戲劇的期望、她新近對拼貼畫的興趣。顯然這個女人有許多創作和知識上的需求，但出於某種原因未能釋放出來。不過她和丈夫約翰．蔡森一起喝酒，卿卿我我的樣子，明擺著是說她對自己的生活毫無怨言。她丈夫一副英俊沉穩的飛行員模樣，只是年紀略大一些。我家的老人不明不白地一起生活了四十年（似乎是出於怨恨結的婚），比起來，艾米莉和約翰就好似倫特夫婦。基本上我家兩位老人連說到天氣時都要吵架鬥嘴，就差動槍了。

該動身回家了。我心存遺憾，滿腦子都想著艾米莉。

「他們真是可人，是吧？」我們開車回曼哈頓的路上，康妮問道。

「是啊。」我表示同意。

「我爸瀟灑吧？他可有意思了。」

「嗯。」實際上，我與康妮老爹說的話不超過十句。

「媽媽今天氣色特別好。好長時間沒這樣了。她才剛得了流感呢。」

「她是了不起。」我說。

「她的攝影和拼貼好極了，」康妮說，「我真希望老爸多鼓勵她不要老這麼保守。他就是對藝術創作沒興趣。從來就沒有過。」

「這不好，」我說，「希望這些年來對妳母親影響不大。」

「有影響，」她說，「還有林賽，你愛上她了？」

「她很可愛，可是比不上妳。至少我是這麼看。」

「那我就放心了。」康妮笑了起來，飛快地在我臉上吻了一下。我雖是個徹頭徹尾的壞蛋，但還是不能告訴她，我最想見的其實是她誘人的母親。我一邊開車，腦子裡一邊像電腦一樣飛速運轉，偷偷醞釀著計謀，想跟這位絕妙無比的女人再度時光。你要是問我打算以後如何發展，我還真說不出。驅車穿行在涼爽的秋夜時，我只知道，佛洛伊德、索福克勒斯和尤金．歐尼爾正在某個地方大笑不止。

此後幾個月，我想方設法多次見到艾米莉。通常是我和康妮在城裡與她會合，帶她去參觀博物館或聽音樂會，三個人十分自然。有一兩次，康妮忙別的事，我就和艾米莉單獨在一起。這讓康妮也很高興：母親和情人竟然是好朋友。還有一兩次我略施小計，「碰巧」遇見艾米莉，就隨意和她散散步，或是喝上一杯。我興致勃勃地聽她講自己的藝術追求，她說笑話時，我總是充滿魅力地大笑；顯然她喜歡有我做伴。我們一同探討音樂、文學和人生。我的觀點總能撩起她的興致。另外還看得出來，她把我視作一位新朋友，根本沒往其他地方想。或者，如果她想了，也絕不會顯露出來。不過我還能指望什麼？我和她女兒住在一起，在一個立有某些禁忌的文明社會堂堂正正地同居。說起來，我能把這位女人想像成什麼樣呢？德國電影裡墮落的色魔，勾引自己孩子的情人？說真的，她要是向我吐露情感，或是行為有些出格，我肯定不再尊重她了。可是我對她那麼著迷，進而成為一種渴求；儘管還不乏理智，但我祈求能看出一點微弱的跡象，表明她的婚姻並非如表面上那樣十全十美；或者是她雖幾經抗爭，卻仍發瘋似的愛上了我。我曾一度冒出某種念頭，想自己主動試探一下，但腦子裡閃現出黃色小報上的大字標題，令我不敢貿然行動。

我苦惱極了，我的欲望那麼強烈，以致想把我的苦惱向康妮和盤托出，請她幫我理順這堆痛苦的亂麻。但是我這樣做定會引起天下大亂。實際上，我沒拿出男子漢的坦誠，而是像一隻鼬鼠拱前拱後的，想嗅出有關艾米莉對我的感覺的蛛絲馬跡。

「我帶妳媽媽去了馬蒂斯的畫展。」一天，我對康妮說。

「我知道，」她說，「她說她很開心。」

「她真幸運。看著也很幸福。婚姻美滿。」

「是。」停頓。

「呃，還有——她跟妳說什麼了？」

「她說看完畫展你們倆談得很投機。談她的攝影。」

「是啊，」停頓，「還說什麼了？關於我的？我是說，我覺得我可能有點傲慢。」

「噢，天哪，沒這回事。她特別喜歡你。」

「是嗎？」

「丹尼跟老爸在一起的時間越來越長。所以，她有點把你看做自己的兒子了。」

「兒子？」我說，頓時洩了氣。

「我覺得她會喜歡有個像你這樣對她的作品感興趣的兒子。一個真正的好友。比丹尼更懂學問。關心她的藝術需求。我覺得你正好適合這個角色。」

那天晚上我情緒低落。和康妮在家裡看電視時，我內心又漲起一股熱望，想貼近這個女人溫柔的身體，儘管她顯然只把我當成她的兒子。她真是這麼覺得嗎？還是這僅僅是康妮隨意的猜測？艾米莉要是發現一個比她年輕許多的人，根本沒想長輩晚輩什麼的，而是覺得她貌美性感，渴望與她風流一番，難道不會感到興奮？這個年齡的女人，尤其是丈夫對其內心情感不大關心的女人，會不歡迎一個仰慕者的垂注？而我，因深陷於自身中產階級的背景，是不是過於在意我與她女兒同居這件事了？畢竟比這更離譜的事情都發生過。肯定在藝術感覺較強烈的人們中間發生過。我得下決心了斷這段已經走火入魔的情感。這件事壓得我太重了，我該付諸行動，或徹底打消念頭。我決定出手了。

以往的成功經驗馬上提示我採取正確步驟。我要不露聲色地帶她去「偉克商人」餐廳，那個燈光幽暗、安全可靠的波利尼西亞快樂巢穴。裡面遍布黝黑、誘人的角落；開始還算柔和，但後勁很大的萊姆酒，會迅速掙脫最幽深處的禁忌。兩杯夏威夷雞尾酒過後球賽就完全由你掌控了。一隻手放上她的膝蓋。猛然一個狂吻。兩人手指交錯。神奇的酒勁肯定會產生奇跡。我在過去屢試不爽。即使對方毫無防範，抽回身，皺起眉，也可以從容地退身，將一切歸咎於這海島的佳釀。

「抱歉，」我可以這樣辯解，「我喝醉了，真不知自己在幹什麼。」

對了，彬彬有禮的聊天階段過去了，我這麼想。我愛上了兩個女人。這倒也不是什麼大不了的怪事。正巧一個是母親，一個是女兒？反而更刺激！我激動異常。可是雖然當時我滿懷信心，但也必須承認，情況沒能按計畫的那樣發展。的確，在二月的一個寒冷下午，我們是去了「偉克商人」餐廳，也四目相視，充滿詩意地感嘆生活，並暢飲泛著泡沫的白色瓊漿，杯中浮著鳳梨塊，上面插著精緻的小陽傘——但是事情到此為止。這是因為，儘管我已經有猥褻的衝動，但我覺得這會把康妮徹底毀了。最後是我的負疚感，確切說，是我恢復了理智，才使我沒把手放在艾米莉．蔡森的腿上，放縱幽深的欲望。我忽然認識到這一切都來自於自己瘋狂的幻想，而我實際愛著的仍是康妮，絕不會冒任何風險、以任何方式傷害她。這一點把我給擋住了。是的，哈羅德．科恩是個凡人，比他向我們標榜的還要凡俗。嘴上雖不承認，但卻真心愛他的女友。這段對艾米莉．蔡森的迷戀必須封存起來遺忘掉。雖然要控制住對康妮媽媽的衝動會痛苦不堪，但理智和理性將占據上風。

一個愉快的下午過去了。本來這個下午的高潮應該是狂吻艾米莉那誘人的豐唇，但我付了賬單就此打住。我們歡笑著出了門，迎著街上零零飄落的雪花。我陪她走到她的車旁，看著她開車回家，自己也回去見她的女兒。當下對這個每晚和我一起同床共眠的女人，我又升起一種新的、更深的溫存。生活真是一片混亂，我想。人的感情如此難以預料。怎麼會有人維持了四十年的婚姻生活呢？這比分開紅海更像個奇跡，雖然我父親仍天真地認為分開紅海更了不起。我吻著康妮傾述我的愛意。她也回應了我。我們做了愛。

正如電影那樣，畫面淡出，轉至幾個月後。康妮再也不能跟我上床了。為什麼？我如同希臘悲劇中的主人公，是自找苦吃。幾週之前我們的房事就開始急轉直下。

「怎麼了？」我問，「我做錯什麼了？」

「沒有。不是你的錯。噢，天哪。」

「怎麼了？跟我說說。」

「我就是不想做，」她說，「我們非得每晚都做嗎？」她說的每晚其實僅僅是每週幾次，很快就更少了。

「我不行，」我試著逗她上床，可是她內疚地說，「你知道嗎，我現在很苦惱。」

「什麼苦惱？」我疑心重重地問，「妳有別人了？」

「當然沒有。」

「妳愛我嗎？」

「愛。我恨不得不愛你。」

「怎麼啦？這樣不是很好嗎？為什麼愈變愈糟。」

「我不能跟你上床，」一天晚上，她坦白了，「你讓我想起了我弟弟。」

「什麼？」

「你讓我想起丹尼。我也不知道為什麼。」

「妳弟弟？妳開玩笑吧？」

「不是。」

「可他是個二十三歲、金髮的中上階層子弟，在你父親律師所做事。我讓妳想起他？」

「就像是和我弟弟上床。」她哭著說。

「好吧，好吧。別哭。都會好的。我不舒服，得吃幾片阿斯匹靈躺一會。」我用手壓住太陽穴，假裝困惑不解；但原因很顯然，我和她母親相處無間，無形中使康妮把我看作了家人。這都是報應。我要像坦塔羅斯[23]一樣接受懲罰。康妮．蔡森那曬得發亮的苗條胴體近在咫尺，卻又碰不得，只要一碰就招來一聲「討厭」。在這齣角色胡亂指派的情感戲中，我忽然成了她的弟弟。

23 坦塔羅斯（Tantalus）：希臘神話之人物，宙斯之子，因藐視眾神的權威被打入冥界。

隨後幾個月各式各樣的煩惱都來了。首先，在床上遭到回絕令人痛苦；其次，還要自我安慰說這只是暫時的。為此，我力求表現得有耐心，善解人意。記得上大學時，正是因為一個性感女生腦袋一側，讓我想起我的姨媽麗芙卡，事就沒做成。那個女孩比我童年記憶中有松鼠相貌的姨媽要好看多了，可是一想到與母親的親姐妹做愛，我就徹底沒興致了。我知道康妮現在的感受，可是，性壓抑越來越重。過了一段時間，我的自我約束轉成了諷刺挖苦，隨後，又想一把火把房子燒掉。不過我還是努力不魯莽行事，平息這場毫無理性的暴風雨，用其他各種方式保持我與康妮之間的親密關係。我建議她去看心理醫生，她充耳不聞。對於從小在康乃狄克州長大的她，還有什麼比這門來自維也納的猶太學科更怪異的。

「去跟別的女人上床。除此之外，我還能說什麼？」她對我說。

「我不想跟別的女人上床。我愛妳。」

「我也愛你。你知道的。可是我不能和你上床。」確實，我不是到處睡來睡去的那種人。儘管我對康妮母親曾抱有幻想，卻從未欺騙過康妮。平時我的確對其他女人做過白日夢，某個演員、某個空中小姐、某個大眼睛的女學生，但我絕不會背叛自己的情人。不是說我沒有辦法，我接觸過的一些女人相當主動，甚至如狼似虎，但我依然忠實於康妮；在她無能為力的這段艱難時光裡，我更是忠貞不二。當然我也曾想過再次試探艾米莉。我還和艾米莉見面，有時和康妮一起，有時我單獨一人，但都是單純的見面，別無他意。我覺得要是把我費盡力氣壓下去的欲火再度煽起，對任何人都沒好處。

這並不是說康妮對我守信。實際情況令人傷心，她至少有好幾次無法抵御外來的誘惑，偷偷地和演員或是作家上了床。

「你要我說什麼？」一次，凌晨三點，當我抓住了她漏洞百出的藉口時她哭著說，「我只是想確認自己是不是反常，我是不是還有性能力。」

「妳跟誰都行，就是跟我不行。」我火冒三丈，深感不公。

「就是如此。你讓我想起我弟弟。」

「我不想再聽這套胡言亂語。」

「我說過，你可以跟別的女人上床。」

「我不想這樣，可現在看來，我非如此不可了。」

「求你了。去吧。這是個報應。」她抽泣著說。

這真的是個報應。當兩個人相互愛慕，卻又因幾近荒唐的心理異常而被迫分手時，這還能是什麼？我與她母親關係密切純屬自找苦吃，這不可否認。也許這正是對我先搞上女兒，又想勾引母親上床的因果報應。

傲慢之罪，或許吧。我，哈羅德．科恩，犯了傲慢罪。一個從來都把自己看作不如鼠類的人，卻自命不凡？這可難以接受。然而我們確實分手了。痛苦中我們各奔東西，但仍算是朋友。我倆住的地方中間僅隔了十條街。我們每隔一天就通一次話，但我們的關係確實結束了。那一刻，只是在那一刻，我才意識到，我曾經是多麼愛慕康妮。陣陣憂鬱和苦悶不可避免地加重了我的普魯斯特式的痛苦。我記起了我倆所有的美好時光，無與倫比的雲雨之歡；在空蕩蕩的大房間裡，我哭了。我試圖出去約會，但還是那樣，一切都不可避免地單調無味。那些追星族、小秘書從我臥室進進出出，讓我覺得空虛，還不如一個人拿本好書消磨夜晚。這似乎真是個無益又乏味的世界，直到有一天傳來令人震驚的消息：康妮的母親離開了她丈夫，兩人正在離婚。想想吧，聽此消息，我的心多年來頭一次加快跳動。我父母就像羅密歐與朱麗葉的家族一樣吵個不休，但卻廝守一生；康妮的父母喝著馬丁尼酒，彬彬有禮地相擁相抱，可是咔嚓一下，離婚了。

現在我的行動方針很清楚了：「偉克商人」餐廳。我們面前已經沒有任何阻礙了。雖然我曾是康妮的情人，略有些尷尬，但過去的巨大難題已經蕩然無存。我們目前是自由人。我對艾米莉・蔡森的情感一直處於休眠狀態，現在又再次被點燃。或許說，命運的捉弄毀了我和康妮的關係，但是什麼也阻擋不了我征服她母親。

趁著自傲正在膨脹的興頭上，我給艾米莉打了電話約定時間。三天後，兩個人就擠坐在我中意的波利尼西亞餐廳的幽暗之中。三杯巴伊亞雞尾酒過後，她敞開了心扉講起她婚姻的失敗。當她講到正在尋找約束少些、創意多些的新生活時，我吻了她。是的，她吃了一驚，但沒有喊叫。她表現出受驚的樣子，我向她傾吐了我的情感後再次吻了她。她有些迷亂的樣子，但沒有發火，也沒有從座位上跳開。待我第三次吻她時，我知道她會順從的。她和我情感相通。我把她帶到我的房間，我們做了愛。第二天早上，當萊姆酒的酒勁退去後，她在我眼裡仍是那樣端莊漂亮，我們再次做愛。

「我要妳嫁給我。」我說，眼裡閃著愛慕之情。

「你不是認真的吧。」她說。

「非常認真，」我說，「我再無他求。」我們接吻，吃早餐，在笑聲中做著規劃。那天我向康妮宣告了這一消息，等著她一拳揮來，卻沒有等到。我把她所有的反應都想到了，以為她會嘲弄地大笑或是怒不可遏；可是實際上，康妮表現得優雅大方。她自己的社交生活很活躍，與好幾個英俊男子交往，母親離婚時她很擔憂其今後的生活。突然間，一位年輕騎士出現，要照顧這位可愛的女士，這位騎士還與她的女兒保持著美好的情誼。真是皆大歡喜。康妮不再因為把我折騰得死去活來而心感內疚了。艾米莉會很高興，我也會很高興。於是，康妮不負家中的教養，在隨意之餘、歡愉之間接受這一切接受。

我的父母正好相反，直接走向位於十層樓的公寓窗戶，爭著往下跳。

「我從沒聽過這種事。」我母親撕扯著睡袍，咬著牙大聲痛哭。

「他瘋了。你個白痴。你瘋了。」父親如受了沉重打擊，臉色蒼白。

「五十五歲的非猶太女人？」我姑媽羅絲尖聲說道，舉起裁紙刀要捅自己的眼睛。

「我愛她。」我抗辯說。

「她年紀大你一倍還多。」我叔叔路易嚷著。

「又怎麼樣？」

「怎麼樣，就是不行。」我父親嚷著，念起了托拉[24]。

「他要娶他女朋友的媽媽？」姨媽蒂莉大叫一聲，昏倒在地上。

「五十五歲，還是個非猶太女人。」我母親尖叫著，到處找專門為這類場合留著的氰化物膠囊。

「他們是什麼人？統一教教徒？」路易叔叔問，「在他身上施了魔法了吧？！」

「傻瓜！白痴！」老爸扯著嗓子喊。姨媽蒂莉恢復了知覺，瞪著我，記起來是怎麼回事就又昏了過去。屋角裡，姑媽羅絲在跪著念經。

「上帝會懲罰你的，哈羅德，」我父親喊叫著，「上帝要砍下你的舌頭，你的牛群都得死光，你十分之一的莊稼都要枯萎，你的……」

不過我還是娶了艾米莉。沒有人自殺。艾米莉的三個孩子以及十幾個好友來了。儀式是在康妮的公寓裡舉行的，香檳橫流。我的家人不能來，他們許諾要事先宰殺一隻羊做祭品。我們都在跳舞、說笑，整個晚上順順利利。有一刻，我發現臥室裡只有我和康妮兩人。我倆開著玩笑，回憶起我們那段關係的高低起伏，以及她是如何性感不可抗拒。

「這真挑逗人。」她溫情地說。

---

24 托拉（the Torah）：猶太教名詞，廣義泛指上帝啟示給人類的教導或指引，狹義專指《聖經．舊約》的首五卷，又稱《律法書》或《摩西五經》。

「是啊，我跟女兒做不成夫妻，只好拐走她母親了。」話音未落，康妮的舌頭已經伸進我的嘴裡。「妳這是幹什麼？」我往後一縮，「喝醉了？」

「你可能不相信，你讓我興奮起來了。」她邊說邊把我拖到床上。

「你怎麼了？吃了春藥？」我說著，爬了起來，但還是被她突然的挑逗弄得興奮不已。

「我要跟你上床。即使現在不行，那也快了。」她說。

「我？哈羅德．科恩？曾經和妳同居，愛過妳的傢伙？只因為像丹尼就不能碰妳的我？妳又迷上了你弟弟的翻版？」

「現在完全不同了，」她說著，又貼近了我，「你跟媽媽結婚，就成了我爸爸。」她再度親吻我，在轉身返回外面的歡聲笑語之前說：「別擔心，老爸，機會多著呢。」

我坐在床上，直愣愣地望向窗外無盡的空間。我想起我的父母，思忖著我也許應該放棄戲劇，重回希伯來語學校。從半開著的門看出去，康妮和艾米莉都在與賓客有說有笑；而我依然弓著背，瘸著腳，只能跟自己咕噥我爺爺常說的一句老話：「哎呀呀。」

木馬文學

副作用
SIDE EFFECTS

作者　伍迪・艾倫（Woody Allen）
譯者　李伯宏
總編輯　陳郁馨
主編　黃少璋
校對　魏秋綢
封面設計　白日設計
排版　極翔企業有限公司

社長　郭重興
發行人兼出版總監　曾大福
出版　木馬文化事業股份有限公司
發行　遠足文化事業股份有限公司
地址　231新北市新店區民權路108之4號8樓
電話　02-2218-1417　傳真　02-2218-1142
email: service@bookrep.com.tw
郵撥帳號　19588272 木馬文化事業股份有限公司
客服專線　0800221029
法律顧問　華洋國際專利商標事務所 蘇文生 律師
印刷　成陽印刷股份有限公司
初版　2017年1月
定價　新臺幣230元

ISBN 978-986-359-352-2（平裝）

國家圖書館出版品預行編目(CIP)資料

副作用 / 伍迪・艾倫（Woody Allen）著；李伯宏譯. -- 初版. -- 新北市：木馬文化出版：遠足文化發行, 2017.01
面；　公分
譯自：Side effects
ISBN 978-986-359-352-2（平裝）

874.6　　105024450

本書中譯本由上海譯文出版社授權